P9-CDF-742

Netzwerk neu

A1 | **Kursbuch**
mit Audios und Videos

Stefanie Dengler
Paul Rusch
Helen Schmitz
Tanja Sieber

Ernst Klett Sprachen
Stuttgart

Autoren: Stefanie Dengler, Paul Rusch, Helen Schmitz, Tanja Sieber

Beratung und Gutachten: Henriette Bilzer (Jena), Foelke Feenders (Barcelona), Jelena Jovanović (München), Priscilla Nascimento (São Paolo), Annegret Schmidjell (Seehausen), Esther Siregar (Depok), Annekatrin Weiß (Jena)

Redaktion: Sabine Harwardt und Annerose Remus
Herstellung: Alexandra Veigel
Gestaltungskonzept: Petra Zimmerer, Nürnberg; Anna Wanner; Alexandra Veigel
Layoutkonzeption: Petra Zimmerer, Nürnberg
Umschlaggestaltung: Anna Wanner

Illustrationen: Florence Dailleux, Frankfurt; Barbara Jung, Frankfurt
Satz: Holger Müller, Satzkasten, Stuttgart
Reproduktion: Meyle + Müller GmbH + Co. KG, Pforzheim
Titelbild: Dieter Mayr, München

Netzwerk neu A1

Kursbuch mit Audios und Videos	607156	Lehrerhandbuch mit	
Übungsbuch mit Audios	607157	Audio-CDs und Video-DVD	607160
Kurs- und Übungsbuch mit Audios und Videos A1.1	607154	Intensivtrainer	607158
Kurs- und Übungsbuch mit Audios und Videos A1.2	607155	Testheft mit Audios	607159
		Digitales Unterrichts-paket zum Download	NP00860716101

Lösungen, Transkripte u.v.m. zum Download unter **www.klett-sprachen.de/netzwerk-neu**

In einigen Ländern ist es nicht erlaubt, in das Kursbuch hineinzuschreiben. Wir weisen darauf hin, dass die in den Arbeitsanweisungen formulierten Schreibaufforderungen immer auch im separaten Schulheft erledigt werden können.

Audio- und Videodateien zum Download unter **www.klett-sprachen.de/netzwerk-neu/medienA1**
Code Audios und Videos zu Kapitel 1–6: NWn1h4+
Code Audios und Videos zu Kapitel 7–12: NWn2g5-

Zu diesem Buch gibt es Audios und Videos, die mit der Klett-Augmented-App geladen und abgespielt werden können.

 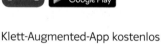

Klett-Augmented-App kostenlos downloaden und öffnen | Bilderkennung starten und **Seiten mit Audios und Videos** scannen | Audios und Videos laden, direkt nutzen oder speichern

 Scannen Sie diese Seite für weitere Komponenten zu diesem Titel.

Apple und das Apple-Logo sind Marken der Apple Inc., die in den USA und weiteren Ländern eingetragen sind. App Store ist eine Dienstleistungsmarke der Apple Inc. | Google Play und das Google Play-Logo sind Marken der Google Inc.

1. Auflage 1 ⁷ ⁶ ⁵ | 2024 23 22

© Ernst Klett Sprachen GmbH, Rotebühlstraße 77, 70178 Stuttgart, 2019. Alle Rechte vorbehalten.
www.klett-sprachen.de

Das Werk und seine Teile sind urheberrechtlich geschützt. Jede Nutzung in anderen als den gesetzlich zugelassenen Fällen bedarf der vorherigen schriftlichen Einwilligung des Verlags.

Druck und Bindung: Elanders GmbH, Waiblingen

ISBN 978-3-12-607156-7

9 783126 071567

MIX
Papier aus verantwortungsvollen Quellen
FSC® C016368
www.fsc.org

Netzwerk neu A1

1	Aufgabe im Kursbuch	
1	passende Übung im Übungsbuch	

1   Aufgabe im Kursbuch

1   passende Übung im Übungsbuch

🔊   Hören Sie den Text.

🔊 💬   Hören Sie und üben Sie die Aussprache.

▶   Sehen Sie den Film.

▶ G   Sehen Sie den Film mit Erklärungen zu **G**rammatik, **R**edemitteln oder **P**honetik.

✏   Schreiben Sie einen Text.

G   Hier lernen Sie Grammatik.

💬   Hier lernen Sie wichtige Ausdrücke und Sätze.

💬   Vergleichen Sie Deutsch mit anderen Sprachen.

👤⁺   Recherchieren Sie oder machen Sie ein Projekt.

▦   Im Übungsbuch lernen Sie mehr Wörter zum Thema.

→•←   Sie haben zwei Möglichkeiten, wie Sie die Aufgabe im Übungsbuch lösen.

▭   Zu dieser Aufgabe finden Sie ein interaktives Tafelbild im Digitalen Unterrichtspaket.

!   Hier lernen Sie eine Strategie oder bekommen Tipps.

"   Hier lernen Sie etwas über gesprochene Sprache.

1 Guten Tag!

grüßen und verabschieden | sich und andere vorstellen | nach dem Befinden fragen und darauf reagieren | über sich und andere sprechen | Zahlen bis 20 nennen | Telefonnummer und E-Mail-Adresse nennen | buchstabieren | über Länder und Sprachen sprechen

Wortschatz	Zahlen von 1–20	Länder und Sprachen
Grammatik	W-Frage	Aussagesatz	Verben und Personalpronomen	Personalpronomen in Texten
Aussprache	Alphabet
Strategie	E-Mail-Adresse schreiben und sagen
Landeskunde	Länder und Sprachen
Die Netzwerk-WG	Ich bin Anna.	Willkommen, Anna!	Und deine Nummer?

2 Freunde, Kollegen und ich

über Hobbys sprechen | sich verabreden | Wochentage benennen | über Arbeit, Berufe und Arbeitszeiten sprechen | Zahlen ab 20 nennen | ein Formular ausfüllen

Wortschatz	Hobbys	Wochentage	Zahlen ab 20	Berufe
Grammatik	unregelmäßige Verben und Personalpronomen	Ja-/Nein-Frage	bestimmter Artikel: *der, das, die*	Nomen: Singular und Plural	Verben *haben* und *sein*
Aussprache	Satzmelodie: Fragen und Antworten
Strategie	Artikel lernen
Landeskunde	Neu im Club
Die Netzwerk-WG	Gehen wir zusammen?	Wo arbeitest du?

3 In Hamburg

Plätze und Gebäude benennen | Fragen zu Orten stellen und antworten | Verkehrsmittel benennen | nach Dingen fragen | nach dem Weg fragen und einen Weg beschreiben | Jahreszeiten und Monate benennen | über Hobbys sprechen

Wortschatz	Plätze und Gebäude	Verkehrsmittel	Richtungen	Monate und Jahreszeiten
Grammatik	unbestimmter Artikel: *ein, ein, eine*	Negationsartikel: *kein, kein, keine*	Imperativ mit *Sie*	Adjektiv mit *sein*
Aussprache	lange und kurze Vokale
Strategie	Texte mit internationalen Wörtern verstehen
Landeskunde	Events in Hamburg	Jahreszeiten in D-A-CH
Die Netzwerk-WG	Die Stadttour in München	Entschuldigung, wo ist der Viktualienmarkt?

Plattform 1: wiederholen und trainieren, Landeskunde: berühmte Personen, Städte in D-A-CH

4 Guten Appetit!

einen Einkauf planen | Gespräche beim Einkauf führen | Gespräche beim Essen führen | über Vorlieben beim Essen sprechen | über Essen sprechen

Wortschatz	Mahlzeiten	Lebensmittel	Getränke	Geschäfte
Grammatik	Akkusativ	Verben mit Akkusativ	Verben *mögen* und *möchten*	Positionen im Satz
Aussprache	Umlaute *ä, ö, ü*
Strategie	Wörter ordnen und lernen	mit W-Fragen Texte verstehen
Landeskunde	Berufe rund ums Essen
Die Netzwerk-WG	Beas Idee	Der WG-Nachmittag

5 Alltag und Familie

die Uhrzeit verstehen und nennen | Zeitangaben machen | über Familie sprechen | sich verabreden | einen Termin telefonisch vereinbaren | sich für eine Verspätung entschuldigen und darauf reagieren

Wortschatz	Tagesablauf	Uhrzeiten	Familie
Grammatik	Zeitangaben: *am, um, von … bis*	Possessivartikel im Nominativ und Akkusativ	Modalverben *müssen, können, wollen*	Modalverben im Satz: Satzklammer
Aussprache	*r* im Wort und am Wortende
Strategie	ein Telefongespräch vorbereiten
Landeskunde	Pünktlichkeit?
Die Netzwerk-WG	Wir gehen joggen.	Wo ist Max?	Mmh, lecker.

6 Zeit mit Freunden

über Freizeit sprechen | das Datum verstehen und nennen | über Geburtstage sprechen | eine Einladung verstehen und schreiben | Essen und Getränke bestellen und bezahlen | über ein Ereignis sprechen | Veranstaltungstipps im Radio verstehen

Wortschatz	Ordinalzahlen	Freizeitaktivitäten	Essen und Getränke	Veranstaltungen
Grammatik	Datumsangaben: *am …*	trennbare Verben	Personalpronomen im Akkusativ *mich, dich …*	Präposition *für* + Akkusativ	Präteritum von *haben* und *sein*
Aussprache	*ei, eu, au*
Strategie	beim Lesen und Hören wichtige Informationen verstehen
Landeskunde	Kneipen & Co in D-A-CH	Veranstaltungen in D-A-CH
Die Netzwerk-WG	Luca hat Geburtstag.	Lucas Einladung	Essen für Bea

Plattform 2: wiederholen und trainieren, Landeskunde: Essen in D-A-CH

7 Arbeitsalltag

einen Blogbeitrag verstehen | über den (Arbeits-)Alltag schreiben | Gespräche am Arbeitsplatz verstehen | Ortsangaben machen | Abläufe beschreiben | Briefe verstehen und beantworten | Small Talk machen

Wortschatz	Büroalltag	Ortsangaben	Bank	Medien
Grammatik	Sätze verbinden: *und, oder, aber*	Artikel im Dativ	
	Präposition *mit* + Dativ	Ortsangaben: Präpositionen mit Dativ
Aussprache	*s* und *sch, st*
Strategie	Briefe schreiben
Landeskunde	Small Talk im Büro
Die Netzwerk-WG	Was für ein Stress!	Kannst du das bitte drucken?

8 Fit und gesund

Aufforderungen verstehen und ausdrücken | persönliche Angaben machen | Körperteile nennen | Anweisungen wiedergeben | Gespräche beim Arzt führen | Anweisungen verstehen und geben | Gesundheitstipps verstehen und geben

Wortschatz	Körperteile	Krankheiten	Medikamente	Berufe im Krankenhaus
Grammatik	Imperativ mit *du, ihr* und *Sie*	Imperativsätze	
	Modalverben *sollen, müssen, (nicht) dürfen*
Aussprache	*p* und *b, t* und *d, k* und *g*
Strategie	Wörter erschließen
Landeskunde	Hausmittel gegen Krankheiten
Die Netzwerk-WG	Aua!	Hol bitte …!	Der arme Luca

9 Meine Wohnung

Wohnungsanzeigen verstehen | eine Wohnung beschreiben | die Wohnungseinrichtung planen | eine Einladung beantworten | über eine Wohnungseinrichtung sprechen | Ortsangaben machen | Gefallen und Missfallen ausdrücken | Farben nennen | über Wohnformen sprechen | einen Text über eine Wohnung schreiben

Wortschatz	Zimmer	Möbel und Geräte	Farben	Wohnformen
Grammatik	*sein* + Adjektiv	Präposition *in* + Akkusativ	
	Wechselpräpositionen mit Dativ
Aussprache	langes und kurzes *e*
Strategie	mit Textbausteinen schreiben
Landeskunde	Wohnformen in D-A-CH
Die Netzwerk-WG	Unsere Wohnung	Ich habe eine Idee.

Guten Tag!

бутерброд (~ buterbrod)
(Russisch)

1

クランケ (~ kuranke)
(Japanisch)

2

otoban
(Türkisch)

3

handuk
(Indonesisch)

4

wurstel
(Italienisch)

5

nudli
(Ungarisch)

6

kindergarten
(Englisch)

7

куфар (~ kufar)
(Bulgarisch)

8

flaša
(Serbisch)

9

1 a **Deutsch international. Was gehört zusammen? Ordnen Sie zu.**

1 – F

A   das Handtuch

B   die Flasche

C   der Koffer

D   das Würstchen / das Würstel

E   der Kindergarten

F   das Butterbrot

G   der Kranke

H   die Autobahn

I   die Nudeln

„Flasche" heißt auf Spanisch …

b   **Wie heißen die Wörter in Ihrer Sprache?**

c   **Kennen Sie andere deutsche Wörter? Sammeln Sie und machen Sie ein Kursplakat.**

Hallo! Tschüs!

2 a **Hallo! Wer bist du? Hören Sie und lesen Sie. Wie heißen die Personen?**

1.1–3

A

○ Hallo Nina!
● Hallo Niklas! Wie geht's?
○ Danke, sehr gut! Und dir?
● Ganz gut, danke.

B

△ Hallo Nina!
● Hallo Julia! Wie geht's dir?
△ Danke, gut. Und dir?
● Auch gut, danke.

△ Hallo, ich bin Julia. Und du? Wer bist du?
○ Ich heiße Niklas.
△ Entschuldigung, wie heißt du?
○ Niklas.

C

△ Tschüs!
● Tschüs Julia! Bis bald!
○ Ciao!

▶ R1 **b** **Hallo und tschüs. Spielen Sie die Situationen.**

Hallo!
Wer bist du? / Wie heißt du?
Wie geht's? / Wie geht's dir?
Und dir?

Tschüs! / Ciao!

Ich heiße … / Ich bin …
Danke, sehr gut! ☺ ☺
Danke, gut! / Auch gut, danke. ☺
Ganz gut. ☺

c **Kennen Sie deutsche Namen oder bekannte deutsche Personen? Sammeln Sie.**

Johanna

Robin Schulz

Guten Tag! Auf Wiedersehen!

3 a Guten Tag. Wie heißen Sie? Hören Sie und lesen Sie. Wie heißen die Personen?

1.4–6

A

○ Guten Morgen. Mein Name ist Nina Weber.
● Guten Morgen, Frau Weber! Ich heiße Oliver Hansen.

!

Guten Morgen!

Guten Tag!

Guten Abend!

Gute Nacht!

○ Guten Tag, Frau Kowalski.
△ Guten Tag, Frau Weber. Wie geht es Ihnen?
○ Danke, gut. Und Ihnen?
△ Auch gut, danke.

● Hallo Frau Weber.
○ Hallo Herr Hansen. Das ist Frau Kowalski.
● Guten Tag, Frau Kowalski. Mein Name ist Oliver Hansen.
△ Guten Tag! Entschuldigung, wie heißen Sie?
● Oliver Hansen.

B

C

△ Auf Wiedersehen, Herr Hansen. Tschüs, Frau Weber.
● Auf Wiedersehen, Frau Kowalski.
○ Auf Wiedersehen!

b Guten Tag. Auf Wiedersehen. Spielen Sie die Situationen.

Guten Tag!
Mein Name ist … / Ich heiße …
Wie heißen Sie?

Wie geht es Ihnen? – Danke, gut!
Und Ihnen? – Auch gut, danke.

Das ist Frau … / Herr …

Auf Wiedersehen!

G

Verben und Personalpronomen

	heißen	sein
ich	heiße	bin
du	heißt	bist
Sie	heißen	sind

!

du und *Sie*

informell: *du* + Vorname
Wie heißt **du**?   Ich heiße **Nina**.
Wer bist **du**?   Ich bin **Nina**.

formell: *Sie* + Vorname + Nachname
Wie heißen **Sie**?   Mein Name ist **Nina Weber**.
Wie ist **Ihr** Name?   Ich heiße **Nina Weber**.

Woher kommen Sie?

4 a Lesen Sie und hören Sie. Ordnen Sie die Antworten zu.

1.7

Reiseführerin – guía de turismo – tourist guide

S E L I N A   L A N G

Deutsch Spanisch Englisch

Ludwigstraße 39 – 60327 Frankfurt
Telefon: +49 / (0)171 / 8264 731
selina@langguide.de – www.langguide.de

1. Woher kommen Sie, Frau Lang?
2. Welche Sprachen sprechen Sie?
3. Wo wohnen Sie?

A Ich spreche Spanisch, Englisch und Deutsch.
B Ich komme aus Deutschland.
C Ich wohne in Frankfurt.

b Variieren Sie den Dialog.

○ Wie heißt du?
● Ich heiße Jan.
○ Woher kommst du?
● Aus Frankfurt.
○ Und wo wohnst du?
● In Zürich.

G

W-Frage			Aussagesatz		
Wie	heißt	du?	Ich heiße	Jan.
Wo	wohnst	du?	Ich wohne	in Zürich.
Woher	kommst	du?	Ich komme	aus Frankfurt

c Lesen Sie und ergänzen Sie die Verben.

Das ist Frau Lang. Sie ___*kommt*___

aus Deutschland. Sie _____

in Frankfurt.

Jan _____ aus Frankfurt.
Er _____ in Zürich.

G

Verben und Personalpronomen

	wohnen	kommen	sein
ich	wohne	komme	bin
du	wohnst	kommst	bist
er/sie	wohnt	kommt	ist
Sie	wohnen	kommen	sind

1–2 **5 a** Und Sie? Machen Sie zwei Interviews wie in 4b: formell und informell. Notieren Sie.

Guten Tag. Wie heißen Sie?

Name? _____ _____

Woher? _____ _____

Wo? _____ _____

b Wer ist das? Stellen Sie einen Partner / eine Partnerin vor.
Die anderen raten den Namen.

Das ist Ana Cristina.

*Sie kommt aus
Valencia. Sie wohnt …*

Zahlen und Buchstaben

Zahlen lesen
und sprechen

14

vier zehn

🔊 **6 a** **Die Zahlen. Hören Sie die Zahlen und sprechen Sie dann**
1.8 **laut mit.**

0										
null										

1	2	3	4	5	6	7	8	9	10
eins	zwei	drei	vier	fünf	sechs	sieben	acht	neun	zehn

11	12	13	14	15	16	17	18	19	20
elf	zwölf	dreizehn	vierzehn	fünfzehn	**sech**zehn	**sieb**zehn	achtzehn	neunzehn	zwanzig

🔊 **b** **Hören Sie. Notieren Sie die Handynummern.**
1.9–10
Herr Klein: _____   Frau Groß: _____

▶ 3 **c** **Fragen Sie Ihren Partner / Ihre Partnerin nach der Telefonnummer. Notieren Sie.**

Wie ist deine Telefonnummer?

Null acht …

Wie ist deine Handynummer?

🔊💬 **7 a** **Das Alphabet. Hören Sie zuerst und lesen Sie dann laut mit.**
1.11

aA	bB	cC	dD	eE	fF	gG	hH	iI	jJ	kK	lL	mM
a	be	tse	de	e	ef	ge	ha	i	jot	ka	el	em

nN	oO	pP	qQ	rR	sS	tT	uU	vV	wW	xX	yY	zZ
en	o	pe	ku	er	es	te	u	fau	we	iks	üpsilon	tset

äÄ	öÖ	üÜ	ß
ä	ö	ü	estset

🔊 **b** **Hören Sie das Gespräch. Notieren Sie die E-Mail-Adressen.**
1.12
ruben-gonzalez@…

c **Variieren Sie den Dialog.**

○ Wie heißt du?
● Alexis Barbos.
○ Und wie ist deine E-Mail-Adresse?
● alexis_barbos@quinnet.com.
○ Wie bitte? Kannst du das buchstabieren?
● A L E …

E-Mail-Adresse sagen

Man schreibt:	Man sagt:
@	ät
.	Punkt
–	minus
_	Unterstrich

🔊 **Gut gesagt: Wie bitte?**
1.13 Entschuldigung, noch einmal bitte.
Das verstehe ich nicht.
Bitte ein bisschen langsamer.

Länder und Sprachen

Gabriel Santos kommt aus Brasilien. Er wohnt in Deutschland, in Köln. Er spricht Portugiesisch, Deutsch und Englisch.

Olivia Miller kommt aus den USA. Sie wohnt in San Francisco. Sie spricht Englisch und Deutsch. Sie lernt Spanisch.

Alessia Conti spricht Italienisch, Französisch und Deutsch. Sie kommt aus der Schweiz und wohnt in Lugano.

8 a Lesen Sie. Woher kommen die Personen? Wo wohnen sie? Welche Sprachen sprechen und lernen sie? Ergänzen Sie die Tabelle.

	kommt aus ...	wohnt in ...	spricht ...	lernt ...
Olivia Miller	den USA	San Francisco	Englisch, Deutsch	Spanisch
Gabriel Santos				
Alessia Conti				
Boris Walder				
Saki Tanaka				
Kateb Brahim				

Boris Walder kommt aus Österreich. Er wohnt in Salzburg. Er spricht Deutsch und Englisch. Er lernt Arabisch.

Saki Tanaka wohnt in Berlin. Sie kommt aus Japan, aus Tokio. Sie spricht Japanisch und Deutsch. Sie lernt Englisch.

Kateb Brahim kommt aus Algerien. Er spricht Arabisch, Französisch und lernt Deutsch. Er wohnt in Paris.

b Ergänzen Sie Land oder Sprache.

Deutsch | D̶e̶u̶t̶s̶c̶h̶l̶a̶n̶d̶ | Englisch | Portugiesisch | Frankreich | Italien | Japanisch | Polen | Russland | Spanisch | Türkisch | Arabisch | Deutsch

Land	Sprache
Deutschland	Deutsch
Österreich	
die Schweiz	Französisch, Italienisch, Rätoromanisch,
	Französisch
Brasilien	
	Italienisch
Spanien	

Land	Sprache
	Polnisch
die Türkei	
	Russisch
Algerien	
Japan	
die USA	
mein Land:	meine Sprache:

c Sprechen Sie zu zweit. Woher kommen Sie? Welche Sprachen sprechen Sie? Welche Sprachen lernen Sie?

Welche Sprachen sprichst du?

Woher ...?

Ich spreche ...

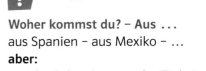

!

Woher kommst du? – Aus ...
aus Spanien – aus Mexiko – ...
aber:
aus **der** Schweiz – aus **der** Türkei – aus **der** Ukraine – aus **den** USA – ...

d Wie heißen die Länder aus 8b in Ihrer Sprache?

e Wer sind Sie? Schreiben Sie einen kurzen Text.

Name | Land | Stadt | Sprachen

Die Netzwerk-WG

▶1   **9**   *Ich bin Anna.* **Sehen Sie Szene 1. Wer wohnt in der Netzwerk-WG? Kreuzen Sie an.**

☐ Luca   ☐ Frau Müller   ☐ Anna   ☐ Bea   ☐ Max

▶2   **10**   *Willkommen, Anna!* **Sehen Sie Szene 2. Was wissen Sie über die Personen? Ordnen Sie zu.**

1. Max, Bea und Luca _____   A ist an der Uni.

2. Anna ist neu. Sie _____   B kommt aus Berlin.

3. Bea _____   C kommt aus Hannover.

4. Luca _____   D kommt aus München.

5. Max ist nicht da, er _____   E wohnen in München.

▶3   **11**   *Und deine Nummer?* **Sehen Sie Szene 3. Notieren Sie die Handynummern von Max und Anna und den Nachnamen von Bea.**

Name Max
☎ *01*

Name Anna
☎

Name *Bea K*
☎ 0154-76895321

▶1–3   **12**   **Was sagen die Personen? Ordnen Sie die Sprechblasen den Fotos zu. Sehen Sie dann noch einmal den ganzen Film und kontrollieren Sie.**

A ☐

B ☐

C ☐

D ☐

1. Bea, das ist Anna.

2. Nein, da sind Sie hier falsch.

3. Woher kommst du denn?

4. Ah, du bist neu hier. Ich bin Luca.

E ☐

5. Und wie ist deine Nummer?

grüßen
Hallo Nina! / Hallo Niklas!
Guten Tag! / Guten Tag, Herr Hansen!
Guten Morgen! / Guten Abend!

sich und andere vorstellen
Wer bist du? / Wie heißt du?
Wie ist Ihr Name? / Wie heißen Sie?

über sich und andere sprechen
Wo wohnen Sie? / Wo wohnst du?
Woher kommen Sie? / Woher kommst du?
Welche Sprachen sprechen Sie? / Welche
  Sprachen sprichst du?
Wie ist Ihre/deine Telefonnummer?
Wie ist Ihre/deine E-Mail-Adresse?
Wer ist das?

nach dem Befinden fragen und darauf reagieren
Wie geht es Ihnen? / Wie geht's dir? / Wie geht's?

verabschieden
Tschüs! Ciao!
Auf Wiedersehen!
Gute Nacht!

Ich bin Julia. / Ich heiße Niklas.
Mein Name ist Nina Weber.
Das ist Herr/Frau …

Ich wohne in Frankfurt. / In Frankfurt.
Ich komme aus Spanien. / Aus Spanien.
Ich spreche Deutsch und Russisch.

0650 – 32 …
alexis_barbos@quinnet.com
Das ist Selina Lang.

Danke, sehr gut. ☺ ☺
Danke, gut. ☺
Ganz gut. ☹
Und Ihnen? / Und dir?

W-Frage

W-Wort	Verb	
Wer	bist	du?
Wie	heißt	du?
Woher	kommt	Frau Tanaka?
Wo	wohnen	Sie?
Welche Sprachen	sprechen	Sie?

Aussagesatz

Subjekt	Verb	
Ich	bin	Julia.
Ich	heiße	Niklas.
Sie	kommt	aus Japan.
Ich	wohne	in Zürich.
Ich	spreche	Deutsch.

Verben und Personalpronomen

	sein	heißen	kommen	wohnen
ich	bin	heiße	komme	wohne
du	bist	heißt	kommst	wohnst
er/sie	ist	heißt	kommt	wohnt
Sie	sind	heißen	kommen	wohnen

Personalpronomen in Texten

Das ist **Frau Lang**. **Sie** kommt aus Deutschland. **Sie** wohnt in Frankfurt.
Das ist **Jan**. **Er** kommt aus Frankfurt. **Er** wohnt in Zürich.

Freunde, Kollegen und ich

1. fotografieren – *photograph*

2. singen – *singing*

6. tanzen – *dancing*

7. joggen – *jogging*

8. Musik hören – *hearing music*

🔊
1.14–16

1   **Was machen die Leute gern? Hören Sie und notieren Sie.**

A Emily

schwimmen, joggen,

B Boris

lesen, und reisen

C Eva

fotografieren, tansen

3. kochen ~ *cooking*

4. schwimmen ~ *swimming*

5. reisen - *to travel*

9. ins Kino gehen - *going to the movies*

10. lesen - *To read*

Was machst du gern   *Was machst du nicht gern*

2 a   **Was machen Sie gern? Was machen Sie nicht gern? Kreuzen Sie an.**

Ich mache gern joggen ☺ ☺ ☹   *Ich mache nicht gern* ☺ ☺ ☹

	☺	☺	☹		☺	☺	☹
kochen	☑	☐	☐	reisen	☑	☐	☐
ins Kino gehen	☑	☐	☐	singen	☑	☐	☐
lesen	☑	☐	☐	joggen	☑	☐	☐
schwimmen	☑	☐	☐	fotografieren	☑	☐	☐
tanzen	☑	☐	☐	Musik hören	☑	☐	☐

b   **Arbeiten Sie zu zweit. Fragen und antworten Sie.**

Liest du gern?

Hörst du gern Musik?   *Gehst du gern ins Kino?*

Es geht so.

Ja, sehr gern. Und du?   *Nein, nicht so gern.*

Meine Hobbys, meine Freunde

3 a **Lesen Sie und ergänzen Sie die Verben.**

spielen | liest | reisen | singt | ~~koche~~ | joggen
to play   to read   travel   sing   cook   jogging

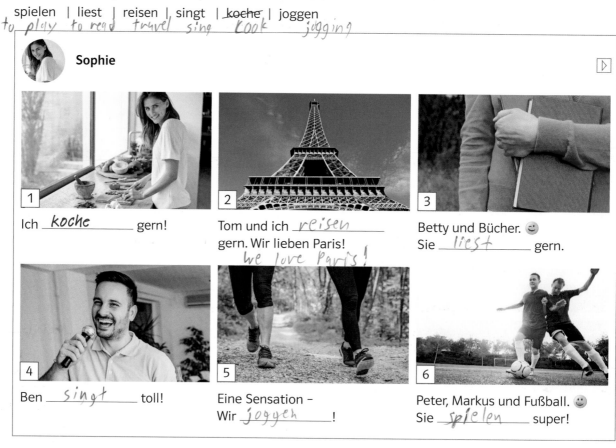

Sophie

Ich __*koche*__ gern!

Tom und ich __*reisen*__ gern. Wir lieben Paris!
we love Paris!

Betty und Bücher. 😊
Sie __*liest*__ gern.

Ben __*singt*__ toll!

Eine Sensation –
Wir __*joggen*__!

Peter, Markus und Fußball. 😊
Sie __*spielen*__ super!

b **Ergänzen Sie die Endungen. Ordnen Sie dann die Kommentare den Fotos zu.**

Since all the verbs start the sentence they are yes or no questions

__4__ **A Anne** Lustig! Sing__st__ du auch so gut? ⟩

___ **B Eva** Paris!!! 💜 Sprich__st__ du Französisch?

___ **C Betty** Spiel__t__ sie wirklich Fußball? 😮

___ **D Kaan** @Sophie Koch__en__ wir am Wochenende Spaghetti? Oder arbeitest du?

___ **E Ben** @Betty Ich les__e__ im Moment ein
Buch von Daniel Kehlmann. Und du?

___ **F Pia** Jogg__t__ ihr morgen auch?

G

Verben und Personalpronomen

	kochen	arbeiten	lesen	spreche
ich	koche	arbeite	lese	spreche
du	kochst	arbeitest	liest	sprichs
er/es/sie	kocht	arbeitet	liest	spricht
wir	kochen	arbeiten	lesen	spreche
ihr	kocht	arbeitet	lest	sprecht
sie/Sie	kochen	arbeiten	lesen	spreche

c **Arbeiten Sie zu dritt. Person A nennt ein Verb im Infinitiv, Person B nennt ein Personalpronomen
(ich, du ...). Person C nennt die Form. Dann nennt Person C ein anderes Verb.**

kochen | schwimmen | tanzen | reisen | singen | joggen | fotografieren | gehen | lesen |
wohnen | heißen | kommen | sprechen

singen   *ihr*   *ihr singt*

d **Und Sie? Was machen Sie gern? Sprechen Sie mit fünf Personen und notieren Sie die Hobbys.**

Was machst du gern?   Sven: *joggen ...*

Gehen wir ins Kino?

4 a **Hören Sie das Gespräch. Wann gehen Sophie und Betty ins Kino?**
1.17

Montag	Dienstag	Mittwoch	Donnerstag	Freitag	Samstag	Sonntag

Am ...

b **Wie heißen die Wochentage in Ihrer Sprache? Notieren Sie in 4a.**

c **Satzmelodie: Fragen und Antworten. Hören Sie und sprechen Sie nach.**
1.18

1. ○ Gehen wir ins Kino? ↗   ● Ja, gern. ↘
2. ○ Gehen wir am Sonntag? ↗   ● Nein, das geht leider nicht. ↘
3. ○ Wann gehen wir? ↘   ● Am Montag. ↘
4. ○ Was machen wir am Montag? ↘   ● Wir gehen ins Kino. ↘

5 a **Lesen Sie den Dialog zu zweit. Achten Sie auf die Satzmelodie.**

○ Gehen wir ins Kino?
● Ja, gern. Wann?
○ Am Samstag?
● Nee, das geht leider nicht.
○ Am Mittwoch?
● Ja, super.

1.19

Gut gesagt: Nein!
Man sagt für „nein"
oft „nee" oder „nö", in
Bayern und Österreich
„na".

b **Spielen Sie Dialoge wie in 5a. Gehen Sie durch den Kursraum und machen Sie für jeden Tag eine Verabredung mit einer anderen Person. Notieren Sie Ihre Termine.**

G

Ja-/Nein-Frage
○ Gehen **wir** ins Kino?
    1   2
● Ja. / Nein.

ins Restaurant

ins Café

ins Schwimmbad

ins Stadion

ins Theater

ins Museum

Montag: Pedro – Theater
Dienstag: ...

profession

Mein Beruf

6 a **Was passt zu den Berufen A–D? Ordnen Sie zu. Es gibt mehrere Möglichkeiten.**

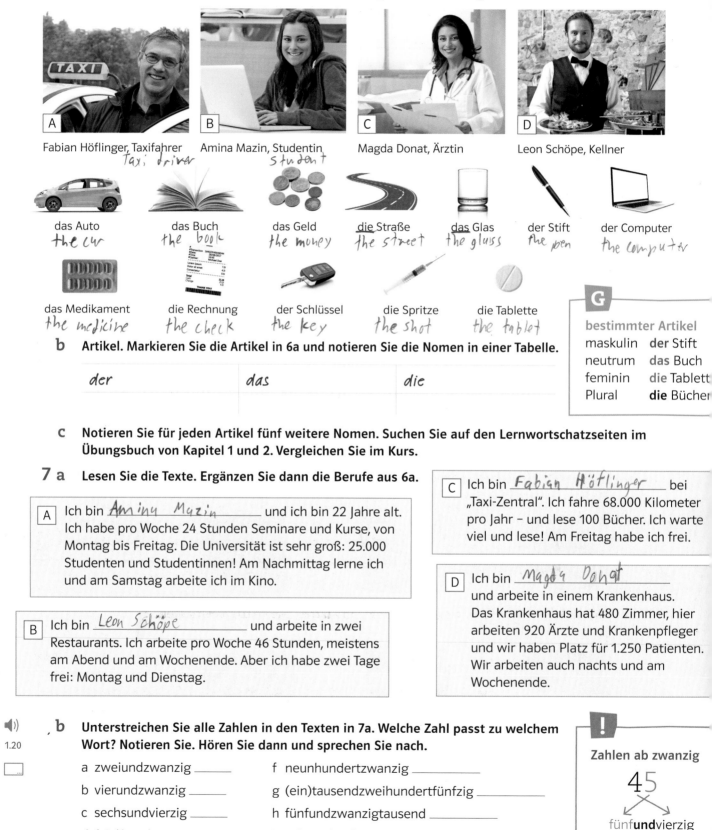

A Fabian Höflinger, Taxifahrer _Taxi driver_   B Amina Mazin, Studentin _student_   C Magda Donat, Ärztin   D Leon Schöpe, Kellner

das Auto _the car_   das Buch _the book_   das Geld _the money_   die Straße _the street_   das Glas _the glass_   der Stift _the pen_   der Computer _the computer_

das Medikament _the medicine_   die Rechnung _the check_   der Schlüssel _the key_   die Spritze _the shot_   die Tablette _the tablet_

> **G**
> bestimmter Artikel
> maskulin **der** Stift
> neutrum **das** Buch
> feminin **die** Tablett
> Plural **die** Bücher

b **Artikel. Markieren Sie die Artikel in 6a und notieren Sie die Nomen in einer Tabelle.**

der	das	die

c **Notieren Sie für jeden Artikel fünf weitere Nomen. Suchen Sie auf den Lernwortschatzseiten im Übungsbuch von Kapitel 1 und 2. Vergleichen Sie im Kurs.**

7 a **Lesen Sie die Texte. Ergänzen Sie dann die Berufe aus 6a.**

A Ich bin _Amina Mazin_ und ich bin 22 Jahre alt. Ich habe pro Woche 24 Stunden Seminare und Kurse, von Montag bis Freitag. Die Universität ist sehr groß: 25.000 Studenten und Studentinnen! Am Nachmittag lerne ich und am Samstag arbeite ich im Kino.

B Ich bin _Leon Schöpe_ und arbeite in zwei Restaurants. Ich arbeite pro Woche 46 Stunden, meistens am Abend und am Wochenende. Aber ich habe zwei Tage frei: Montag und Dienstag.

C Ich bin _Fabian Höflinger_ bei „Taxi-Zentral". Ich fahre 68.000 Kilometer pro Jahr – und lese 100 Bücher. Ich warte viel und lese! Am Freitag habe ich frei.

D Ich bin _Magda Donat_ und arbeite in einem Krankenhaus. Das Krankenhaus hat 480 Zimmer, hier arbeiten 920 Ärzte und Krankenpfleger und wir haben Platz für 1.250 Patienten. Wir arbeiten auch nachts und am Wochenende.

🔊 1.20

b **Unterstreichen Sie alle Zahlen in den Texten in 7a. Welche Zahl passt zu welchem Wort? Notieren Sie. Hören Sie dann und sprechen Sie nach.**

a zweiundzwanzig _____

b vierundzwanzig _____

c sechsundvierzig _____

d (ein)hundert _____

e vierhundertachtzig _____

f neunhundertzwanzig _____

g (ein)tausendzweihundertfünfzig _____

h fünfundzwanzigtausend _____

i achtundsechzigtausend _____

> **!**
> Zahlen ab zwanzig
> 45
> fünf**und**vierzig

c Arbeiten Sie zu zweit. Partner A sammelt Informationen aus Text A und B. Partner B sammelt Informationen aus Text C und D. Notieren Sie.

	Was ist er/sie von Beruf?	Wann arbeitet er/sie?	Wann hat er/sie frei?
Amina Mazin			
Leon Schöpe			
Fabian Höflinger			
Magda Donat			

d Präsentieren Sie Ihre Personen. Ihr Partner / Ihre Partnerin notiert.

8 a Pluralformen. Lesen Sie die Texte in 7a noch einmal. Notieren Sie die Pluralformen.

Singular	der Kilometer	der Arzt	die Stunde	das Buch	das Restaurant
Plural	*die Kilometer*				
Endung					

 b Markieren Sie die Pluralendungen in 8a. Welche Endungen gibt es? Ordnen Sie zu.

(¨)-er   (¨)-e   -s   (¨)-   -(e)n

> **!**
> Lernen Sie Nomen immer mit Artikel und Plural.

c Schreiben Sie sieben Lernkarten mit Artikel und Plural. Üben Sie dann zu zweit.

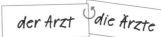

der Arzt ↻ die Ärzte

> **!**
> der Informatiker ♂
> die Informatikerin ♀

 9 a Welche Berufe sind das? Ordnen Sie zu. Kennen Sie noch andere Berufe?

Informatiker/in | Ingenieur/in | Lehrer/in | Verkäufer/in | Architekt/in | Friseur/in

 A  B C  D  E  F

b Fragen Sie Ihren Partner / Ihre Partnerin und machen Sie Notizen. Berichten Sie dann im Kurs.

> 💬
> Was sind Sie von Beruf / Was bist du von Beruf?
> Wann arbeiten Sie? / Wann arbeitest du?
> Wann haben Sie frei? / Wann hast du frei?
>
> Ich bin Studentin/Ingenieur/…
> Ich studiere …
> Ich arbeite am …
> Ich habe am … frei. / Ich arbeite am … nicht.

G	sein	haben
ich	bin	habe
du	bist	hast
er/es/sie	ist	hat
wir	sind	haben
ihr	seid	habt
sie/Sie	sind	haben

Marc: Ingenieur …

Marc ist Ingenieur. Er …

c Mein Beruf. Schreiben Sie einen Text wie in 7a.

Artikel lernen

10 a   **Wörterbücher. Sehen Sie die Beispiele an. Wo steht der Artikel, wo der Plural? Markieren Sie mit zwei Farben.**

Buch <-*[e]s, Bücher*> [buːx, pl ˈbyːçɐ] SUBST *nt*

Krankenhaus das; -*(e)s*, ¨er
    ein Gebäude, in dem Kranke untersucht und
    behandelt werden und längere Zeit bleiben

Kilometer *der*; – Maßeinheit für
    tausend Meter, km

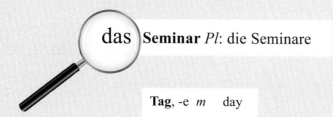

das   **Seminar** *Pl*: die Seminare

Tag, -e   *m*   day

Woche   Nomen, feminin
Plural: Wochen
Folge von sieben Tagen

b   **Schreiben Sie die Nomen in die Tabelle.**

der (maskulin)	das (neutrum)	die (feminin)
	Krankenhaus	

11 a   **Das Artikelbild. Schreiben Sie die Wörter mit Artikel in die Zeichnung.**

das Buch | die Studentin | die Universität | der Computer | das Restaurant | der Kellner |
die Rechnung | der Arzt | die Patientin | das Krankenhaus | das Taxi | der Taxifahrer | der Schlüssel

!

Merken Sie sic[h]
die Artikel mit
Farben:
der = blau
das = grün
die = rot

b   **Machen Sie ein eigenes Artikelbild.**

Neu im Club

12 a **Persönliche Angaben. Was passt zusammen? Notieren Sie.**

Nachname/Familienname
Vorname
Geburtsdatum
Geburtsort
Adresse
Telefonnummer/Handynummer

Miller
New York
Jonathan
0171-12085614
Goethestr. 7, 10711 Berlin
01.04.1994

Vorname: Jonathan

b **Sportclub „Fit". Wählen Sie einen Kurs und ergänzen Sie dann das Formular mit Ihren Informationen.**

Sportclub Fit — Kurse

Basketball	Fußball	Karate	Tennis	Yoga	Zumba
Dienstag und Donnerstag 19–21 Uhr	*Mittwoch 20–21:30 Uhr*	*Montag 18:30–20 Uhr*	*Samstag 15–17 Uhr*	*Freitag 18–20 Uhr*	*Montag und Mittwoch 10–11 Uhr*

Sportclub „Fit" – Anmeldung

Vorname	_____
Familienname	_____
Geschlecht	☐ weiblich ☐ männlich ☐ keine Angabe
Geburtsdatum	____. ____. _____
E-Mail	_____
Telefonnummer	+ _____
Adresse: Straße, Hausnummer Postleitzahl, Wohnort	_____ _____
Schule/Firma	_____
Kurs	_____
Tag	_____

Die Netzwerk-WG

▷ 4 **13 a**   *Gehen wir zusammen?* **Sehen Sie Szene 4. Was macht Anna gern? Was macht Max gern? Sprechen Sie im Kurs.**

Max spielt gern Computer.

b   **Sehen Sie die Szene noch einmal. Wann gehen Anna und Max schwimmen?**

c   **Arbeiten Sie zu zweit. Variieren Sie den Dialog und spielen Sie.**

○ Was machst du gern?
● Ich mache gern Sport.
○ Spielst du gern Fußball?
● Nein. Ich spiele gern Tennis und ich jogge.
○ Joggen ist super. Gehen wir zusammen?
● Ja, gern. Wann?
○ Am Mittwoch?
● Nein, das geht leider nicht.
○ Und am Freitag?
● Ja, am Freitag ist gut.

▷ 5 **14 a**   *Wo arbeitest du?* **Sehen Sie Szene 5. Was sind Luca und Anna von Beruf?**

Ingenieur/in   Arzt/Ärztin   Friseur/in   Student/in   Kellner/in   Krankenpfleger/in

b   **Sehen Sie die Szene noch einmal. Wer macht was? Kreuzen Sie an.**

1. ☒ Er ☐ Sie arbeitet im Krankenhaus.
2. ☐ Er ☒ Sie studiert.
3. ☐ Er ☒ Sie joggt gern.
4. ☒ Er ☐ Sie arbeitet nachts.
5. ☒ Er ☒ Sie macht ein Praktikum.
6. ☐ Er ☒ Sie arbeitet heute am Nachmittag.

Try this ↓

über Hobbys sprechen

Was machen Sie gern? / Was machst du gern?	Ich reise gern. ☺
Hören Sie gern Musik? / Hörst du gern Musik?	Ja, sehr gern. ☺ ☺
Gehen Sie gern ins Kino? / Gehst du gern ins Kino?	Nein, nicht so gern. ☹
Lesen Sie gern? / Liest du gern?	Es geht so. ☺

sich verabreden

Gehen wir ins Kino?	Ja, gern.
Wann gehen wir ins Kino?	Am Montag.
Am Freitag?	Nein, das geht (leider) nicht. / Ja, super.

über Arbeit, Berufe und Arbeitszeiten sprechen

Was sind Sie von Beruf? / Was bist du von Beruf?	Ich bin Studentin/Ingenieur/…
Was machen Sie? Was machst du?	Ich studiere …
Wann arbeiten Sie? / Wann arbeitest du?	Ich arbeite am …
Wann haben Sie frei? / Wann hast du frei?	Ich habe am … frei. / Ich arbeite am … nicht.

Zahlen ab 20

21 einundzwanzig	30 dreißig	1.000 (ein)tausend
22 zweiundzwanzig	40 vierzig	3.000 dreitausend
23 dreiundzwanzig	50 fünfzig	4.520 viertausendfünfhundertzwanzig
24 vierundzwanzig	60 sechzig	10.000 zehntausend
25 fünfundzwanzig	70 siebzig	74.300 vierundsiebzigtausenddreihundert
26 sechsundzwanzig	80 achtzig	100.000 (ein)hunderttausend
27 siebenundzwanzig	90 neunzig	500.000 fünfhunderttausend
28 achtundzwanzig	100 (ein)hundert	1.000.000 eine Million
29 neunundzwanzig	200 zweihundert	1.000.000.000 eine Milliarde

✳ ✰ Verben und Personalpronomen ✰ ✳

	kochen	arbeiten	lesen	sprechen	sein	haben
ich	koche	arbeite	lese	spreche	bin	habe
du	kochst	arbeitest	liest	sprichst	bist	hast
er/es/sie	kocht	arbeitet	liest	spricht	ist	hat
wir	kochen	arbeiten	lesen	sprechen	sind	haben
ihr	kocht	arbeitet	lest	sprecht	seid	habt
sie/Sie	kochen	arbeiten	lesen	sprechen	sind	haben

Ja-/Nein-Frage

○ Gehen **1** **wir** **2** ins Kino?
● Ja. / Nein.

bestimmter Artikel

maskulin	**der** Stift
neutrum	**das** Buch
feminin	**die** Tablette
Plural	**die** Bücher

Nomen: Singular und Plural

(¨)-	der Kilometer → **die** Kilometer
-(e)n	die Stunde → **die** Stunden
(¨)-e	der Tag → **die** Tage
	der Arzt → **die** Ärzte
(¨)-er	das Buch → **die** Bücher
-s	das Auto → **die** Autos

In Hamburg

A ☐

der Bahnhof

In 8 Stunden nach Warschau,
in 6 Stunden nach München,
in 5 Stunden nach
Kopenhagen, in 2 Stunden
nach Berlin. Jeden Tag fahren
hier 720 Züge. *Every day 720 trains drive through*

B ☐

Das Konzerthaus

Die Elbphilharmonie ist der Star
in Hamburg.
Bauzeit: 9 Jahre (2007 bis 2016)
Kosten: 866 Millionen Euro
Im ersten Jahr (2017) 4,5
Millionen Besucher und 600
Konzerte.

🔊 **1 a Eine Stadttour in Hamburg. Hören Sie. Ordnen Sie die Stationen den Fotos zu.**
1.21–25

b Lesen Sie die Texte. Was ist das? Ordnen Sie die Wörter zu.
Trainstation Habor   concert hall   church   city hall
der Bahnhof | der Hafen | das Konzerthaus | die Kirche | das Rathaus

c Lesen Sie und ergänzen Sie die Zahlen.

Rathaus: *subway* – über _____ Jahre alt, Turm _____ Meter hoch

Elbphilharmonie: Kosten: _____ Euro, im Jahr 2017 _____ Konzerte

Hafen: _____ Schiffe pro Jahr, fahren in _____ Länder

Michel: Platz für _____ Menschen, Turm _____ Meter hoch

Bahnhof: _____ Züge pro Tag, in _____ Stunden nach Berlin

3

C 1

der Hafen

D

Die Kirche

E

Das Rathaus

12.000 Schiffe pro Jahr!
Bis zum Meer sind es von
Hamburg circa 100 km. Die
Schiffe fahren auf dem Fluss
Elbe. Die Schiffe fahren in
175 Länder.

Der Michel ist das Symbol
von Hamburg. Hier ist Platz für
2.500 Menschen.
Der Turm ist 132 m hoch. Da sieht
man den Hafen.

Es ist über 120 Jahre alt und
111 Meter breit. Der Turm in der
Mitte ist 112 Meter hoch.

d Sammeln Sie Informationen und Zahlen über Ihre Stadt oder Ihren Ort.
Machen Sie eine Ausstellung im Kurs.

Lissabon

510.000 Menschen

Hafen:
über 10 km lang, Platz für 1.100 Schiffe

Ponte Vasco da Gama:
Brücke über 17 km lang

Die Taxifahrt

2 a Der Weg zum Hotel. Hören Sie. Welche Orte nennt der
Taxifahrer? Kreuzen Sie an.

1.26

1. Bahnhof ☐
2. Hafen ☐
3. Fluss ☐
4. Konzerthaus ☐
5. Rathaus ☐
6. Kirche ☐

1.27

Gut gesagt: grüßen
So sagt man auch
für „Guten Tag" in
Deutschland,
Österreich und der
Schweiz (D-A-CH):

Moin!

D

Grüß Gott!

Grüezi!

CH   A

b Lesen Sie das Gespräch. Zeichnen Sie den Weg in den Plan. Ist Ihre Lösung in 2a richtig?

○ Guten Tag. Zum Hotel „Michel" bitte.
● Moin. Hotel „Michel", okay.
  Kennen Sie Hamburg?
○ Nein.
● Na, das ist der Bahnhof.
○ Ah ja.
● Und das hier rechts ist die Kunsthalle.
  Das ist ein Museum.
○ Interessant. Und wie heißt der See?

● See? Das ist kein See, das ist ein Fluss.
  Der Fluss heißt Alster.
○ Ach so. Und was ist das? Ist das eine Kirche?
● Nein, das ist das Rathaus.
○ Ah ja.
● Hier ist eine Kirche. Das ist die
  Michaeliskirche. Wir sagen „der Michel".
○ Ah, sehr schön.
● Und da ist auch schon das Hotel.

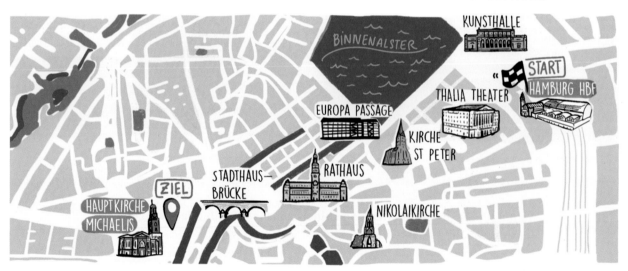

c *der, das* oder *die*? Suchen Sie die Nomen in 2b und ergänzen Sie.

1. _der_ Bahnhof
2. _____ Rathaus
3. _____ Kunsthalle
4. _____ Fluss
5. _____ Hotel
6. _____ Kirche
7. _____ See

3 Artikel. Sammeln Sie Nomen aus
Kapitel 1–3. Bilden Sie drei Gruppen:
Gruppe *der*, Gruppe *das*, Gruppe *die*.
Eine Person nennt ein Nomen, die
Gruppe mit dem passenden Artikel
steht auf und sagt den Artikel.

Auto

das Auto

4 a ein, ein, eine oder der, das, die? Ergänzen Sie die Artikel.

	unbestimmter Artikel	bestimmter Artikel
maskulin	Das ist **ein** Hafen.	Das ist _____ Hafen von Hamburg.
neutrum	Das ist **ein** Hotel.	_____ Hotel heißt „Alster".
feminin	Das ist **eine** Straße.	_____ Straße heißt Müllerstraße.
Plural	Das sind – Schiffe.	_____ Schiffe sind im Hafen.
	neu / nicht bekannt	bekannt

b Was ist das? Ergänzen Sie die bestimmten und unbestimmten Artikel.

 1. Das ist _ein_ Theater.

 Das Theater heißt Thalia Theater.

 2. Das ist _____ Bahnhof.

 _____ Bahnhof heißt Hamburg-Altona.

 3. Das ist _____ Brücke.

 _____ Brücke heißt „Köhlbrandbrücke".

 4. Das sind _____ Häuser.

 _____ Häuser sind 400 Jahre alt.

c Was ist das? Schreiben Sie Sätze.

Café | Kunsthalle | Kirche | Hotel | Kino | Turm

 1.   2.   3.   4.   5.   6.

1. Das ist ein Café.

🔊💬 1.28 **5 a Vokale. Lang oder kurz? Hören Sie die Wörter und markieren Sie _ für lang und . für kurz.**

a̱ oder ạ: a̱lt – Ja̱hr – Hạfen – Sta̱r – lạng – fa̱hren – mạn
e̱ oder ẹ: ze̱hn – We̱g – Se̱e – gẹrn – ẹlf – Hẹrr – se̱hr
i̱ oder ị: Schịff – Mịtte – si̱eben – Kịrche – wi̱e – bịtte – hi̱er
o̱ oder ọ: ho̱ch – Kọsten – vọn – pro̱ – Sọnntag – Ọrt – Mọntag
u̱ oder ụ: Flụss – gu̱t – Tụrm – Zu̱g – Stụnde – Bu̱ch – Fu̱ßball

> **!**
> Vor einem doppelten Konsonant (ff, nn, …)
> ist der Vokal immer kurz: Schịff, Flụss, …

🔊💬 1.29 **b Hören Sie noch einmal. Langer Vokal: Kreisen Sie die Arme. Kurzer Vokal: Klopfen Sie auf den Tisch.**

Kein Glück?!

6 a **Eine Bildgeschichte. Wo passen die Wörter? Zeigen Sie.**

der Bus | das Fahrrad | die U-Bahn | zu Fuß gehen

b **Welches Bild passt? Ordnen Sie zu.**

1. _____ Oh, nein! Keine Fahrkarte?!

2. _____ Ach nee, kein Bus. Also schnell!
   Wo ist die U-Bahn?

3. _A_ Oje, kein Fahrrad! Schnell, da ist ein Bus!

4. _____ Heute kein Test! So ein Glück!

5. _____ Ich gehe zu Fuß. Jetzt aber schnell!

c **Ist das …? Schreiben Sie.**

1. ○ Ist das ein Bus?
   ● Nein, das ist …

2. ○ Ist das ein Auto?
   ● Nein, das ist …

3. ○ Ist das eine Kirche?
   ● Nein, …

G

Negationsartikel

maskulin	der	ein	**kein**	Bus
neutrum	das	ein	**kein**	Fahrrad
feminin	die	eine	**keine**	U-Bahn
Plural	die	–	**keine**	Autos

4. ○ Sind das Busse?
   ● Nein, …

5. ○ Sind das Konzertkarten?
   ● Nein, …

1. Nein, das ist kein Bus, das ist eine U-Bahn.

Links, rechts, geradeaus

◀)) 7 a **Wegbeschreibungen. Hören Sie. Was suchen die Personen? Notieren Sie.**

1.30–32

the hotel   the church   the cityhall   the theater   the subway
das Hotel | die Kirche | das Rathaus | das Theater | die U-Bahn

Gespräch 1: _____   Gespräch 2: _____   Gespräch 3: _____

b **Hören Sie noch einmal. Welche Wegbeschreibung passt? Ordnen Sie zu.**

> **!**
>
> links ←
> geradeaus ↑
> rechts →

▶ R2 **c** **Arbeiten Sie zu zweit. Spielen Sie Dialoge.**

> 💬
>
> Entschuldigung, wo ist bitte …?   Das ist ganz einfach. Gehen Sie rechts/
> links/geradeaus und dann … Da ist …
>
> Also hier rechts/links/geradeaus
> und dann …?   Ja. / Ja, genau.
> Vielen Dank.   Bitte, gern.

> **G**
>
> **Imperativ mit *Sie***
>
> gehen   **Gehen Sie** links!
> fahren **Fahren Sie** geradeaus!

▶ 7 **8** **Nach dem Weg fragen. Spielen Sie zu zweit. Jede/r würfelt zweimal: das erste Mal für den Start, das zweite Mal für das Ziel.**

	⚀	⚁	⚂	⚃	⚄	⚅
Start	A	B	C	D	E	F
Ziel	das Hotel *the Hotel*	der Bahnhof *the trainstation*	der Hafen *the harbor*	der Park *the Park*	die U-Bahn *the subway*	der Markt *the market*

Beispiel: ⚀ und ⚅: Start → B; Ziel → der Park

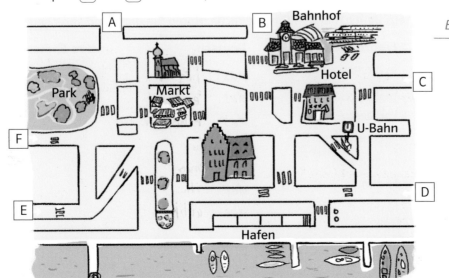

Entschuldigung, wo ist der Park?

Gehen Sie rechts und dann geradeaus. Da ist der Park.

Vielen Dank!

Events in Hamburg

A

B

C

Veranstaltungstipps ☒

_A_ **Hamburger Theater-Festival 12.–18. Okt.**

Austria *switzerland*

this

Zum Festival kommen deutschsprachige Theater aus Deutschland, Österreich und der Schweiz. In diesem Jahr zeigen die Schaubühne Berlin, das Wiener Burgtheater, das Deutsche Theater Berlin und das Theater Basel ihre Produktionen. Tickets gibt es im Thalia Theater und im Hamburger Schauspielhaus ab 12,50 Euro.

Theater

www.hamburger-theaterfestival.de

_B_ **Orchester aus aller Welt zu Gast in Hamburg, 25. Okt.**

Das Orchestre des Champs-Élysées ist am 25.10. Gast in der Elbphilharmonie. Das Orchester spielt das Requiem von Wolfgang Amadeus Mozart. Es singen der Chor Collegium Vocale aus Gent und vier bekannte Solisten. Philippe Herreweghe dirigiert das Konzert. 20:00 Uhr, ab 29 Euro

famous

www.elbphilharmonie.de

_C_ **Kino für alle, Hamburg 27.9.–6.10.**

40.000 Filmfans sehen an 10 Tagen über 100 Filme, deutsche und internationale Produktionen. Regisseure und Schauspieler kommen gern nach Hamburg. Regisseur Fatih Akın präsentiert dem Publikum seinen neuen Film.

director *Actors*

www.filmfesthamburg.de

---

9 a Theater – Musik – Film. Lesen Sie die Texte. Ordnen Sie die Fotos zu.

b Welche Wörter sind in Ihrer Sprache oder in anderen Sprachen ähnlich? Markieren Sie.

c Schreiben Sie die Wörter auf Deutsch und in Ihrer Sprache. Hören Sie dann und sprechen Sie nach.

1.33

Englisch	Französisch	Deutsch	Ihre Sprache
the theater	le théâtre	das theater	
the festival	le festival	das festival	
the orchestra	l'orchestre	das Orchestre	
the choir	le choeur	der Chor	
the concert	le concert	das koncert	
the film	le film	der film	
the audience	le public	das Publikum	

d Welches Event finden Sie interessant?

Jahreszeiten in D-A-CH
times of the year

10 a Notieren Sie die Monate auf Deutsch und in Ihrer Sprache.

spring Frühling — *summer* Sommer — *Fall* Herbst — *winter* Winter

1	2	3	4	5	6
Januar	Februar	März	April	Mai	Juni

7	8	9	10	11	12
Juli	August	September	Oktober	November	Dezember

b Welche Jahreszeit sehen Sie auf den Fotos? Notieren Sie.

A Winter
B Frühling, Herbst, Sommer
C Sommer
D Sommer, Frühling, Herbst

c Hören Sie. Was machen die Leute? Wann machen sie das? Notieren Sie.
1.34–37

ins Museum gehen | schwimmen | Fahrrad fahren | reisen

Was?
1. schwimmen
2. Fahrrad fahren
3. reisen
4. Ins Museum gehen

Wann?
im Sommer
im Frühling
im Herbst
im Winter

d Arbeiten Sie zu zweit mit dem Wörterbuch. Was machen Sie wann? Machen Sie ein Plakat zu den Jahreszeiten. Präsentieren Sie es im Kurs.

Die Netzwerk-WG

▶6 **11 a**   *Die Stadttour in München.* **Wohin fahren Luca und Anna? Sehen Sie Szene 6 und nummerieren Sie die Stationen.**

5 F   1 E   6 H

4 I   2 D   3 B

b   **Was passt zu welchem Foto? Ordnen Sie zu. Drei Überschriften passen nicht.**

A die Theatinerkirche   D̸ der Chinesische Turm   G der Viktualienmarkt
B̸ das Museum „Haus der Kunst"   E̸ der Englische Garten   H̸ der Olympiapark
C der Hauptbahnhof   F̸ das Müller'sche Volksbad   I̸ der Eisbach mit Surfern

12 a   **Zahlen, Zahlen, Zahlen. Sehen Sie Szene 6 noch einmal. Ergänzen Sie die Zahlen im Text.**

25 | 1969–1972 | 375 | 1901 | 3,5 | 137 | 1792

Seit (1) _____1792_____ gibt es den Englischen Garten. Der Park ist sehr groß: (2) _____1901_____

Hektar. Riesig, oder? Jedes Jahr kommen über (3) _____ Millionen Besucher. Der Chinesische

Turm im Englischen Garten ist (4) _____ m hoch.

Das Müller'sche Volksbad ist direkt neben der Isar. Das Bad gibt es seit (5) _____.

Das Olympiastadion ist toll. Bauzeit: (6) _____ Kosten: (7) _____3,5_____ Millionen D-Mark.

b   **Recherchieren Sie: Welche Konzerte und Veranstaltungen gibt es bald im Olympiapark? Wohin möchten Sie gerne gehen?**

▶7 **13**   *Entschuldigung, wo ist der Viktualienmarkt?*
Sehen Sie Szene 7. Ordnen Sie die Ausdrücke in die richtige Reihenfolge und beschreiben Sie den Weg.

Gehen Sie _____ vor dem Marienplatz nach links

_____ durch das Isartor

_____ immer geradeaus

_____ die Straße bis zum Isartor

Dann sehen Sie den Viktualienmarkt.

Fragen zu Orten stellen und antworten

Was ist das?

Ist das eine Kirche?

Ist das ein Hotel?

Das ist der Hafen / eine Kirche / …

Ja. / Ja, das ist die Michaeliskirche.

Nein, das ist das Rathaus / …

nach Dingen fragen

Ist das ein Bus / ein Auto / eine U-Bahn?

Ja, das ist ein/eine …

Nein, das ist kein/keine …

nach dem Weg fragen und einen Weg beschreiben

(Entschuldigung.) Wo ist bitte …?

Das ist ganz einfach. Gehen Sie rechts/links/
geradeaus und dann … Da ist …

Also, hier rechts/links/geradeaus und dann …?

Ja. / Ja, genau.

Vielen Dank.

Bitte. / Bitte, gern.

Artikel

	unbestimmt	bestimmt	Negationsartikel
	ein, ein, eine	**der, das, die**	**kein, kein, keine**
maskulin	Das ist **ein** Hafen.	Das ist **der** Hafen von Hamburg.	Das ist **kein** Bahnhof.
neutrum	Das ist **ein** Hotel.	**Das** Hotel heißt „Linde".	Das ist **kein** Rathaus.
feminin	Das ist **eine** Brücke.	**Die** Brücke heißt „Alsterbrücke".	Das ist **keine** Straße.
Plural	Das sind – Schiffe.	**Die** Schiffe sind im Hafen.	Das sind **keine** Autos.

neu / nicht bekannt   bekannt

Imperativ mit *Sie*

gehen	Gehen	**Sie**	links.
fahren	Fahren	**Sie**	rechts.

Das Verb im Imperativ steht auf Position 1.

Adjektiv mit *sein*

Der Turm **ist** 112 Meter **hoch**.
Der Hafen **ist groß**.

Wiederholungsspiel

1   **Spielen Sie zu dritt oder zu viert.**

Das ist Fiona Forlan.
Sie kommt aus Berlin.

Würfeln Sie.

Lösen Sie die Aufgabe.

Richtig? → Der/Die nächste Spieler/in würfelt.

Falsch? → Gehen Sie ein Feld zurück.

Würfeln Sie noch einmal.

Start

1 Stellen Sie einen Mitspieler / eine Mitspielerin vor.

2 Frau Kowalski geht. Was sagen die Personen?

13 Sagen Sie *Am Montag* als Frage (?) und als Aussagesatz (.).

12 Lesen Sie und ergänzen Sie die Zahlen. 25, 26, …, 28, 29, …, 31, 32, …, 34, 35, …

11 @ Sagen Sie Ihre E-Mail-Adresse.

aA a	bB be	cC tse	dD de	eE e	fF ef	gG ge	hH ha	iI i	jJ jot	kK ka	lL el	mM em
nN en	oO o	pP pe	qQ ku							xX iks	yY üpsilon	zZ zet
äÄ ä	öÖ ö	üÜ ü	ß eszet									

14 Buchstabieren Sie Ihren Familiennamen.

15

16 Was macht Niklas gern? Was nicht? ☺ Musik hören ☹ schwimmen

Felix Giehse
Taxi „Kommsofort"
Kieler Str. 29, 22522 Hamburg
040 / 13927428
www.kommsofort.eu

27 Stellen Sie die Person vor. Wie heißt die Person? Wo wohnt sie? Was ist ihr Beruf?

26 Was macht Lara?

25 Ergänzen Sie. Ben … super.

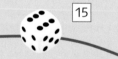

28 Fragen Sie Ihren Partner / Ihre Partnerin. … Sie/du gern?

29 Lang oder kurz? Sprechen Sie. Hafen – Hallo wohnen – kommen Schiff – sieben

30 Montag Wie heißen die Wochentage?

Ergänzen Sie *lesen*. **3**
Betty … gern.
Peter und Markus …
nicht gern.
Und du? … du gern?

Ergänzen Sie. **4**
Herr Höflinger ist Taxifahrer.
Er … pro Jahr 68.000 Kilometer.
Er … von Samstag bis Donnerstag. Am Freitag hat er …

Sprechen Sie **5**
dreimal schnell.
*Am Montag kommt
Olaf nach Oslo.*

Nennen Sie den **6**
Plural.
ein Arzt, 3 …
ein Tag, 4 …
ein Buch, 45 …

Antworten Sie. **7**
○ Entschuldigung,
wo ist das Hotel
„Alster"?
● Gehen Sie ↑, dann
↱ und dann
wieder ↱.

Ergänzen Sie die **10**
Monate.
Januar, …, März, …,
Mai, Juni, …, August,
…, Oktober, …, …

Ergänzen Sie. **9**
Die Elbe ist ein … in
Hamburg. Im Hamburger
Hafen gibt es viele …

Ergänzen Sie. **8**
Das ist der … von
Hamburg. Jeden Tag
fahren hier 700 …

Ergänzen Sie die **17**
Artikel.
… See, … Stadt,
… Rathaus

Antworten Sie. **18**
○ Was ist das?
● Das sind …

Antworten Sie. **19**
○ Ist das ein Theater?
● Nein, das ist …
Theater, das ist …

20

Welche Sprachen **24**
spricht man in …
– Österreich?
– Polen?
– Spanien?
– Brasilien?

Ergänzen Sie die **23**
Personalpronomen.
… sprichst, … heiße,
… ist, … kommen

Nennen Sie drei **22**
Berufe.

Welche Sprachen **21**
sprechen Sie?

Ziel

Wie heißen die **31**
Verkehrsmittel?
Nennen Sie auch
die Artikel.

Was ist das? **32**
Das ist … und …
Das sind …

Mi	Do
Schwimmbad	Café

Fragen Sie. **33**
Gehen wir am …?

Mit Buchstaben spielen

2 Mein Buchstabe. Ein Spieler / Eine Spielerin notiert auf einem Zettel einen Buchstaben. Die anderen nennen Wörter. Der Lehrer / Die Lehrerin schreibt die Wörter an die Tafel.
Ist der Buchstabe im Wort? Der Spieler / Die Spielerin ruft „Ja!" Ist der Buchstabe nicht im Wort?
Der Spieler / Die Spielerin ruft „Nein!" und der Lehrer / die Lehrerin streicht das Wort. Wer findet den Buchstaben?

3 a *a, e, i, o, u* – Spiel mit Vokalen. Welche Vokale fehlen? Schreiben Sie die Wörter.

1. N … M …	3. H … R … N	5. L … N D	7. K … C H … N
Name	_hören_	_____	_____
2. M … N T … G	4. G … H … N	6. H … T … L	8. T … X …
_____	_____	_____	_____

b Die Vokale sind falsch. Wie heißt das Wort richtig?

1. der Wog   _der Weg_   4. der Bas   _____

2. das Jihr   _____   5. das Boch   _____

3. der Buhnhef   _____   6. die A-Behn   _____

c Arbeiten Sie zu zweit. Schreiben Sie je drei Wörter wie in 3a und 3b auf einen Zettel. Tauschen Sie die Zettel mit einem anderen Paar. Welches Paar kann alle lösen?

SP_ _ _L_N   der Pirk

4 Zeichnen Sie ein Bild im linken Feld. Arbeiten Sie zu zweit. Diktieren Sie dem Partner / der Partnerin die Zahlen. Er/Sie verbindet die Zahlen im rechten Feld. Was ist es?

1	2	3	4	5	6	7	8	9	10
11	12	13	14	15	16	17	18	19	20
21	22	23	24	25	26	27	28	29	30
31	32	33	34	35	36	37	38	39	40
41	42	43	44	45	46	47	48	49	50
51	52	53	54	55	56	57	58	59	60
61	62	63	64	65	66	67	68	69	70
71	72	73	74	75	76	77	78	79	80
81	82	83	84	85	86	87	88	89	90
91	92	93	94	95	96	97	98	99	100

1	2	3	4	5	6	7	8	9	10
11	12	13	14	15	16	17	18	19	20
21	22	23	24	25	26	27	28	29	30
31	32	33	34	35	36	37	38	39	40
41	42	43	44	45	46	47	48	49	50
51	52	53	54	55	56	57	58	59	60
61	62	63	64	65	66	67	68	69	70
71	72	73	74	75	76	77	78	79	80
81	82	83	84	85	86	87	88	89	90
91	92	93	94	95	96	97	98	99	100

Personen-Memo

5 a Welche Personen haben den gleichen Beruf? Finden Sie die Paare.

1 Christoph Waltz ist aus Österreich und in Hollywood populär – er hat auch schon zwei Oscars. Er ist Theater- und Film-Schauspieler und lebt in Berlin, London und Los Angeles.

5 Felix Jaehn ist DJ. Er studiert ein Jahr lang Musik in London. Der Remix von „Cheerleader" ist ein Hit. Er arbeitet oft mit anderen Musikern. Sein erstes Album heißt „I".

2 Anke Engelke wohnt in Köln. Sie macht Comedy und ist sehr lustig. Sie singt auch und spielt in Filmen. Anke Engelke spricht Marge Simpson auf Deutsch.

6 Laura Dahlmeier hat 16 Medaillen zu Hause. Sie ist Biathletin. Sie trainiert sehr viel. Sie liebt die Berge und die Natur. Ihre Hobbys sind Klettern, Mountainbiken und Skitouren.

3 Yvonne Catterfeld singt und macht Musik. Sie spielt auch in Filmen und Serien. Aktuell ist für sie Musik besonders wichtig. Sie hat ein eigenes Label: Veritable Records.

7 Abdelkarim ist in Bielefeld geboren und seine Eltern kommen aus Marokko. Er macht Comedy und hat im Fernsehen eine Show: die StandUpMigranten.

4 Er spielt rechts – und das perfekt. Roger Federer ist Tennisspieler und gewinnt viele Turniere. Er wohnt mit seiner Frau und seinen Kindern in Basel.

8 Birgit Minichmayr ist ein Star aus Österreich. Sie spielt in Filmen und in vielen Theatern: in Hamburg, Berlin, München und Wien. Sie lebt in Wien und Berlin.

b Welche bekannten Deutschen, Österreicher oder Schweizer kennen Sie noch? Sammeln Sie im Kurs.

c Wählen Sie eine Person wie in 4b. Recherchieren Sie und schreiben Sie einen kurzen Text. Bringen Sie auch ein Foto mit. Hängen Sie Ihre Texte im Kursraum auf.

Mick Schumacher ist ein Formel-2-Fahrer. Er ist Europameister und berühmt. Er lebt ...

Städte in D-A-CH

6 a   **Quiz: Sehen Sie die Karte von Deutschland, Österreich und der Schweiz vorne im Buch an. In welchem Land sind die Städte? Was sind die Hauptstädte?**

Berlin | Bern | Genf | Graz | Köln | Leipzig | Linz | Lugano | München | Salzburg | Wien | Zürich

Zürich ca. 410.000 Einwohner

Viele Leute denken an Banken und Geld

Die Stadt liegt direkt an einem See. Er ist 40 Kilometer lang. Eine Rundfahrt mit dem _____ dauert 1,5 Stunden.

Wien ca. 1,9 Millionen Einwohner

Die Hauptstadt von Österreich

Der Stephansdom ist eine _____ im Stadt-Zentrum. Sie ist sehr schön und das Dach hat viele Farben.

Graz ca. 286.000 Einwohner

Die Stadt ist klein, die Uni groß

Der _____ mit der Uhr ist fast 800 Jahre alt. Er ist 28 Meter hoch und das Symbol von Graz.

Leipzig ca. 600.000 Einwohner

Musik und Literatur

Das Gewandhaus ist ein Konzerthaus in der Stadt. Die Akustik ist sehr gut. Hier ist Platz für 1.900 _____.

Köln über 1 Million Einwohner

Karneval und mehr

Eine _____ mit Aussicht. Hier fahren jeden Tag 1.220 Züge über den Rhein. Und der Bahnhof ist direkt neben dem Dom.

Genf ca. 200.500 Einwohner

Hier sprechen alle Französisch

Der „Jet d'Eau" – die Wasserfontäne im _____ – ist sehr bekannt. Sie ist 140 Meter hoch.

b **Lesen Sie die Texte und ergänzen Sie die Wörter.**

Besucher | Kirche | See | Brücke | Schiff | Turm

🔊 1.38–40 **c** **Hören Sie drei Personen. Wo sind die Leute? Notieren Sie.**

Beatrice _____

Laurin _____

Pia _____

👤⁺ **d** **Wählen Sie eine Stadt in D-A-CH und recherchieren Sie (Einwohnerzahl und zwei Informationen). Stellen Sie Ihren Ort kurz vor.**

Guten Appetit!

Frühstück

die Banane
the banana

der Orangensaft
the orange juice

das Müsli
the granola

der Joghurt
the yogurt

der Tee
the tea

die Milch
the milk

der Käse
the cheese

die Marmelade
the jam

das Ei
the egg

das Brötchen
the little bread

Mittagessen

der Apfelsaft
the

die Kartoffeln
the potatoe

das Salz
the salt

der Pfeffer
the pepper

das Gemüse
the vegitables

das Wasser
the water

der Essig
the vinegar

das Öl
the oil

die Cola
the cola

das Fleisch
the meat

---

1 a   Lebensmittel. Welche Wörter kennen Sie auf Deutsch? Verbinden Sie.

„Banane" heißt auf Russisch „banan".

b   Welche Wörter sind in Ihrer Muttersprache ähnlich? Sammeln Sie im Kurs.

to go shopping

2 a   Beim Einkaufen. Hören Sie. Welches Foto passt?

1.41–44

die Bäckerei
Gespräch _____
the Bakery

der Markt
Gespräch _____
the Market

die Metzgerei
Gespräch _____
the Butcher

der Supermarkt
Gespräch _____
the supermarket

4

Kaffee und Kuchen

der Kaffee
the coffee
der Kuchen
the cake
die Sahne
the cream

die Schokolade
the chocolate
der Keks
the cookies
der Zucker
the sugar

Abendessen

die Butter
the butter
das Brot
the bread
die Tomate
the tomato
die Gurke
the cucumber

der Salat
the salad
die Suppe
the soup
die Wurst
the sausage
der Schinken
the ham

---

b **Hören Sie noch einmal. Welche Wörter hören Sie? Kreuzen Sie an.**

☐ der Schinken ☐ die Kartoffeln ☐ die Marmelade ☐ der Kuchen ☐ die Milch ☐ die Banane
☐ das Fleisch ☐ das Brot ☐ die Wurst ☐ das Brötchen ☐ der Apfel ☐ der Käse

c **Geschäfte: Wo kaufen Sie die Lebensmittel aus 2b? Ordnen Sie zu und vergleichen Sie.**

in der Bäckerei	auf dem Markt	in der Metzgerei	im Supermarkt
das Brot		die Wurst	das Brot

Ich kaufe Brot in der Bäckerei.

Kommt ihr?

3 a **Die Einladung. Lesen Sie die Nachricht.**
Welche Antwort passt?

> Wir grillen heute Abend bei uns.
> Kommt ihr?

Wo seid ihr? Wir warten schon –
das Essen ist gleich fertig. **A**

Gern. Wir kommen und kaufen
Fleisch. Bis später! **B**

Danke für die Einladung. Wir haben
morgen keine Zeit. 😕 Aber vielleicht
am Wochenende? **C**

b **Mario und Elena planen eine Grillparty. Hören und**
1.45 **lesen Sie das Gespräch. Schreiben Sie die Einkaufs-**
zettel für Mario und Elena.

○ Wir machen den Salat und kaufen die Getränke. Und Katrin und
Lukas kaufen das Fleisch und die Würstchen.
● Okay. Was brauchen wir noch für den Salat? Haben wir alles?
○ Moment … Salat haben wir. Ähm, wir brauchen Tomaten, Eier, Öl
und eine Gurke. Ach, und Käse! Wir haben keinen Käse mehr.
Hm … ah! Getränke, wir haben auch keine Getränke.
● Gut. Ich gehe zum Markt und kaufe die Eier, die Tomaten und die
Gurke. Und ein Brot kaufe ich auch. Der Käse ist da so teuer.
Kaufst du den Käse im Supermarkt?
○ Ja, stimmt. Ich gehe zum Supermarkt und kaufe Käse, Öl und
die Getränke.
● …

Mario: Käse, …
Elena: Eier, …

c **Hören Sie noch einmal. Was machen Mario und Elena nach dem Einkauf?**

d **Akkusativ. Unterstreichen Sie die Artikel in 3b. Ergänzen Sie die Tabelle.**

> **G**
>
> | Nominativ | Akkusativ | | | | |
> |---|---|---|---|---|---|
> | Der Käse ist gut. | Ich kaufe **den** Käse. | *den* | **einen** | *keinen* | Käse |
> | Das Brot ist gut. | Ich kaufe **das** Brot. | *das* | *eine* | **kein** | Brot |
> | Die Gurke ist gut. | Ich kaufe **die** Gurke. | *die* | *eine* | **keine** | Gurke |
> | Die Tomaten sind gut. | Ich kaufe **die** Tomaten. | *die* | – | **keine** | Tomaten |

4 **Zusammen essen. Arbeiten Sie zu viert. Wer macht was?**

– Was brauchen Sie für das Essen?
Schreiben Sie einen Einkaufszettel.
– Wer kauft was?
– Wer kocht?

Wir kochen eine Suppe. Wir
brauchen Tomaten und Fleisch. Ich
kaufe die Tomaten und Anna …

> **G**
>
> Verben mit Akkusativ
>
> | | brauchen | eine Gurke |
> |---|---|---|
> | | haben | keinen Käs |
> | Wir | machen | einen Sala |
> | | kochen | keine Supp |
> | | essen | das Fleisch |
> | | kaufen | die Geträn |

5 a **Umlaute ä – ö – ü. Hören Sie und sprechen Sie nach.**
1.46

Apfel – **Ä**pfel, Saft – S**ä**fte, Brot – Br**ö**tchen, Markt – M**ä**rkte
Wir kaufen M**ü**sli zum Fr**ü**hst**ü**ck. – Ich kaufe Br**ö**tchen in der B**ä**ckerei. –
Wir brauchen **Ö**l, K**ä**se, Gem**ü**se und Getr**ä**nke.

b **Hören Sie ein Wort mit Umlaut? Stehen Sie auf. Sprechen Sie dann die Wörter nach.**
1.47

Einkaufen im Supermarkt

🔊 **6 a** **Hören Sie und lesen Sie die Dialoge. Welches Bild passt?**

1.48–52

A

1. _Excuse me_
   ○ Entschuldigung, ich brauche einen Euro für den Einkaufswagen.
     Können Sie wechseln, <u>bitte</u>?
   ● Ja, Moment – hier bitte.
   ○ Danke.

B

2. _____
   ○ Entschuldigung, was kostet
     der Apfelsaft?
   ● 99 Cent.
   ○ Und wie viel kostet der Orangensaft?
   ● 1,09 Euro.

 Preise sprechen
0,99 Euro → neunundneunzig Cent
1,09 Euro → ein Euro neun
2,20 Euro → zwei Euro zwanzig

3. _who is next?_
   ● Wer kommt dran?
   ○ Ich, bitte. _Me please_
   ● Was möchten Sie? _what would you like?_
   ○ Ich möchte ein Stück Emmentaler, bitte.
   ● Sonst noch etwas? _anything else?_
   ○ Ja, ich nehme noch 150 Gramm Schinken.
   ● Ist das alles? _Is that all?_
   ○ Ja, danke. _Yes thank you?_

C

4. _____
   ○ Entschuldigung, wo finde ich Reis?
   ● Dort rechts.
   ○ Danke.

D

E

5. _____
   ○ Ich brauche noch eine Tüte, bitte. _I still need a bag_
   ● Hier bitte. Die kostet 35 Cent. _Here it costs 35 cents_
   ○ Wie bitte? 35 Cent? <u>Das ist aber teuer!</u> Also gut … _That is too expensive_
   ● Das macht dann 18,65 Euro. Brauchen Sie den Kassenzettel?
   ○ Ja, bitte.

b **Spielen und variieren Sie die Dialoge in 6a.**

c **Recherchieren Sie die Preise für drei bis fünf Lebensmittel in D-A-CH und berichten Sie.**

Die Grillparty

7 a **Schmeckt's? Hören Sie und lesen Sie die Dialoge. Welches Foto passt?**

1.53–55

A

C

B

Good apetite
Thank you, same to you
Is it good?
Yes the meat tastes very good

1. **B**

○ Guten Appetit!
● Danke, gleichfalls!
△ Schmeckt's?
▲ Mmh, ja, das Fleisch schmeckt sehr gut!

2. **A** *would y'all still like more?*

○ Möchtet ihr noch ein Würstchen?
△ Ja, gerne, die Würstchen sind *Yes* wirklich lecker. *the brat is really tasty*
○ Und du, Lukas? *And you Lucas*
▲ Nein, danke, ich bin satt.
No thank you, I am full

3. **C**

○ Möchtest du Salat?
● Nein, danke. Ich esse keine Gurken.

9

b **Spielen Sie Dialoge.**

Guten Appetit!	Danke, gleichfalls!
Möchtet ihr (noch) …?	Ja, bitte. … schmeckt/schmecken sehr gut.
Möchtest du (noch) …?	Ja, gerne. … ist/sind sehr lecker.
	Nein, danke. Ich esse keinen/ kein/keine …
	Nein, danke. Ich bin satt.

Gut gesagt: Beim Essen

1.56

Prost!   Zum Woh

Guten Appetit!

Mahlzeit!

8 a **Wer möchte was? Hören Sie und ergänzen Sie.**

1.57–59

1. Der Mann möchte ein _____.

2. Die Frau trinkt gern _____.

3. Der Mann möchte keine _____.

G

möchten

ich	möchte	wir	möcht
du	möcht**est**	ihr	möcht
er/es/sie	möchte	sie/Sie	möcht

b **Was essen und trinken Sie gern? Machen Sie ein Interview mit Ihrem Partner / Ihrer Partnerin und berichten Sie.**

?	☺	☹
Essen/Trinken Sie gern …?	Ja, sehr gern.	Nein, nicht so gern.
Isst/Trinkst du gern …?		
Was essen Sie / isst du gern?	Ich esse/trinke gern …	Ich esse/trinke nicht gern …
Was trinken Sie / trinkst du gern?		

Frühstück, Mittagessen, Abendessen

9 a Eine Umfrage: „Was essen Sie?" Arbeiten Sie zu dritt. Jede/r liest einen Text und macht Notizen.

Was essen Sie?

Maria, Nikolaj und Lina Hepp

Breakfast morning together

Wir frühstücken morgens zusammen. Mein Mann und ich essen Brot mit Käse oder Schinken. Lina isst Müsli mit Milch.
Am Mittag isst Lina im Kindergarten und Nikolaj isst in der Arbeit nur ein Brötchen. Ich esse in der Kantine oft Nudeln oder eine Suppe. *sometimes*
Nachmittags esse ich manchmal ein Stück Schokolade.
Abends um sieben essen wir dann alle zusammen: Wir mögen gerne Fisch oder Fleisch mit Gemüse und Reis oder Kartoffeln. Und wir trinken gern Saft und Wasser.

Von Montag bis Freitag frühstücke ich nur schnell und allein: Ich bin *I am* schon um halb sechs wach. *up at 5:30* Vormittags esse ich dann oft noch einen Joghurt. Aber am Wochenende essen wir zusammen. Zum Frühstück mag ich sehr gerne Obst: Äpfel, Birnen oder Bananen. Obst schmeckt gut und ist gesund. Lars mag Brötchen mit Marmelade.
Mittags essen wir meistens nichts. Am Nachmittag mögen wir gern Kuchen und abends essen wir oft Brot, Salat oder eine Suppe.

Lars und Ben Geiger

Emma Baumeister

Zum Frühstück esse ich zwei Brötchen mit Butter, Käse und Wurst. Am Wochenende frühstücke ich am Morgen nicht – ich schlafe lang. Mittags kaufe ich einen Döner oder eine Pizza. Ich habe nur wenig Zeit und esse allein. Am Abend koche ich oft Fisch, manchmal mache ich auch Sushi. Ich mag asiatisches Essen, lecker!

G

mögen

ich	mag	wir	mögen
du	magst	ihr	mögt
er/es/sie	mag	sie/Sie	mögen

Ich esse gern Schokolade. =
Ich mag Schokolade.

Wer?	morgens	vormittags	mittags	nachmittags	abends
Maria Hepp	Brot mit Käse oder Schinken		Nudeln,		
Nikolaj Hepp			Brötchen		

b Was essen und trinken die Personen? Erzählen Sie.

Morgens mag Lina …   *Maria isst mittags …*

G

Positionen im Satz

Lina	**isst**	morgens	Müsli.
Morgens	**isst**	Lina	Müsli.

✎ **c** Was essen Sie wann? Schreiben Sie einen Text wie in 9a.

💬
Zum Frühstück esse ich …
Vormittags / Am Vormittag …
Mittags mag ich …

Nachmittags / Am Nachmittag trinke/esse ich gern …
Abends / Am Abend mag ich (gern) …
Ich trinke/esse oft …

Wörter lernen

10 a **Eine Mindmap machen. Arbeiten Sie in Gruppen und machen Sie Plakate.**

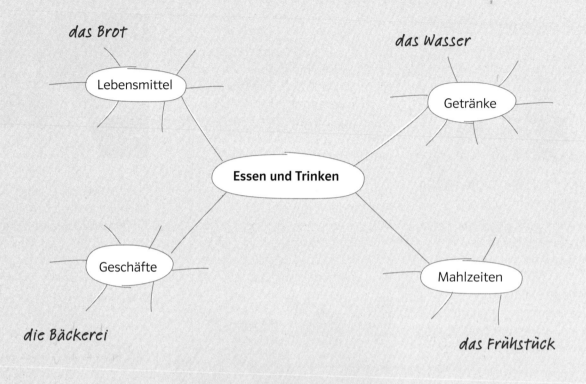

das Brot

das Wasser

Lebensmittel

Getränke

Essen und Trinken

Geschäfte

Mahlzeiten

die Bäckerei

das Frühstück

b **Wörter in Paaren lernen. Welche Wörter stehen oft zusammen? Ergänzen Sie. Finden Sie eigene Paare zum Thema „Essen"?**

das Brot und _die Brötchen_____

das Salz und _____

der Essig und _____

der Kaffee und _____

Obst und _____

Essen und _____

c **Was passt für Sie zusammen? Bilden Sie Wortgruppen. Vergleichen Sie im Kurs.**

der Abend | alt | die Arbeit | der Beruf | bitte | danke | essen | der Film | Frau | hallo |
Herr | das Hobby | das Kino | links | Montag | der Morgen | neu | rechts | Sonntag | trinken |
tschüs | die Woche | das Wochenende

der Morgen – der Abend
die Arbeit – der Beruf –
das Hobby

Wochenende –
Sonntag –
das Hobby –
der Film – ...

Wörter lernen

Lernen Sie Wörter mit vielen Methoden

- in thematischen Gruppen/Mindmap
- in Paaren
- Sammeln Sie: Was fällt Ihnen zu einem Wort ein? (freie Assoziationen)

Berufe rund ums Essen

11 **Koch am Bodensee. Lesen Sie den Text und die Fragen. Markieren Sie die Informationen im Text und beantworten Sie dann die Fragen.**

1. **Wo** arbeitet Max Schmidt?
2. **Was** macht er auf dem Markt?
3. **Was** macht er im Restaurant?
4. **Wie** findet er seinen Beruf?
5. **Wann** arbeitet er?

> *Max Schmidt arbeitet im Restaurant …*

> **!**
>
> **Wichtige Informationen in Texten verstehen**
> W-Fragen helfen:
> Wer?   Was?   Wann?
> Wo?   Wie?

Berufswahl leicht gemacht – von A–Z ☒

| Bäcker | Hotelfachfrau | **Koch** | Kellner | Landwirt |

Max Schmidt und sein Chef planen zusammen das Essen für die Woche. Dann geht Max Schmidt auf den Markt. Er kauft Tomaten, Champignons und Salat. Kartoffeln und
5 Zwiebeln braucht er auch. Dann kauft er noch frischen Fisch. Max Schmidt arbeitet seit zwei Jahren als Koch im Restaurant „Esszimmer" in der Altstadt von Konstanz. Da gibt es jeden Tag ein anderes
10 Fischgericht: Fische frisch aus dem Bodensee.

Zurück im Restaurant wäscht, schält und schneidet er das Gemüse. Der Chef bereitet den Fisch zu. Paula, eine Kollegin,
15 macht das Dessert. Max mag seine Arbeit. Er sagt: „Kochen ist mein Beruf, aber auch mein Hobby."

„Ich arbeite gern in einem kleinen Team und die Kollegen
20 sind sehr nett. Kochen ist auch sehr kreativ – das macht viel Spaß. Ich probiere gerne neue Gerichte. Oft haben wir viele Gäste. Das ist dann echt stressig!

25 Und die Arbeitszeiten sind nicht toll. Ich arbeite normalerweise von 6 bis 15 Uhr oder von 13 bis 22 Uhr. Am Wochenende arbeite ich abends oft noch länger. Das ist natürlich nicht so schön. Ich habe nicht viel Freizeit und wenig Zeit für meine Freunde."

Die Netzwerk-WG

▶8 **12 a** *Beas Idee.* Sehen Sie Szene 8. Was will die WG am Nachmittag machen? Ergänzen Sie.

Bea, Anna, Max und Luca wollen zusammen _____.

b Anna und Luca gehen in den Supermarkt. Sehen Sie die Szene noch einmal. Welcher Einkaufszettel passt?

Ⓐ	B	Ⓒ
Kaffee	Zucker	Zucker
Milch	Eier	Eier
Mehl	Mehl	Mehl
Eier	Äpfel	Brot
Zucker	Butter	Müsli
Orangensaft	Orangensaft	Orangensaft
Cola	Cola	Cola
Sahne	Sahne	Sahne

c Und was kaufen Anna und Luca? Ergänzen Sie.

1. Ä p f e l   3. T o m a t e n   5. S _ _ _ _ _ _ _

2. B u t t e r   4. eine G _ _ _ _ _   6. K _ _ _ _

▶9 **13 a** *Der WG-Nachmittag.* Sehen Sie Szene 9 und bringen Sie die Fotos in die richtige Reihenfolge.

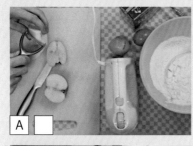

A ☐

B ☐

C ☐

D ☐

E ☐

F 1

b Was passiert? Ordnen Sie die Sätze den Fotos zu und lesen Sie die Sätze zu zweit in der richtigen Reihenfolge.

_B5_ 1. Alle trinken Kaffee und essen Kuchen.

_____ 2. Bea und Max machen einen Apfelkuchen.

_____ 3. Max findet Mehl und Zucker.

_____ 4. Max braucht Eier. Er geht zu Frau Müller.

_____ 5. Anna und Luca kommen mit Kuchen nach Hause. Jetzt haben sie zu viel Apfelkuchen.

_____ 6. Max bringt Frau Müller ein Stück Kuchen.

c Sie möchten Ihren Lieblingskuchen backen. Was brauchen Sie? Notieren Sie.

Gespräche beim Einkauf führen

Bitte? Was möchten Sie?

Sonst noch etwas?

Ist das alles?

Wo finde ich …? / Wo gibt es …?

Was kostet/kosten …? / Wie viel kostet/kosten …?

Können Sie wechseln?

Ich möchte …, bitte. Haben Sie …?

Ja, ich brauche noch … / Nein, danke.

Ja, danke. / Nein, ich nehme bitte noch …

Dort rechts/links/geradeaus.

Das kostet … / Sie kosten …

Ja, Moment.

Gespräche beim Essen führen

Guten Appetit!

Möchtest du noch …? / Möchten Sie noch …?

Danke, gleichfalls!

Ja, bitte. … schmeckt/schmecken sehr gut.

Ja, gerne. … ist/sind sehr lecker.

Nein, danke. Ich esse keinen/kein/keine …

Nein, danke. Ich bin satt.

über Vorlieben beim Essen sprechen

Essen/Trinken Sie gern …? / Isst/Trinkst du gern …?

Was essen Sie / isst du (nicht) gern?

Was trinken Sie / trinkst du (nicht) gern?

Ja, sehr gern. / Nein, nicht so gern.

Ich esse/trinke (nicht) gern …

Ich mag … (sehr/nicht) gern.

Ich mag keinen/kein/keine …

über Essen sprechen

Zum Frühstück trinke/esse ich …

Vormittags / Am Vormittag trinke/esse ich …

Mittags mag ich …

Nachmittags / Am Nachmittag trinke/esse ich gern …

Abends / Am Abend mag ich (gern) …

Ich trinke/esse oft …

unregelmäßige Verben

	essen	mögen	möchten
ich	esse	mag	möchte
du	isst	magst	möchtest
er/es/sie	isst	mag	möchte
wir	essen	mögen	möchten
ihr	esst	mögt	möchtet
sie/Sie	essen	mögen	möchten

Positionen im Satz

Lina	**isst**	morgens	Müsli.
Morgens	**isst**	Lina	Müsli.

Das **Verb** steht auf Position 2.

Das Subjekt steht vor oder nach dem Verb.

Artikel

	Nominativ	Akkusativ
maskulin	**der/ein/kein** Käse	**den/einen/keinen** Käse
neutrum	**das/ein/kein** Brot	**das/ein/kein** Brot
feminin	**die/eine/keine** Gurke	**die/eine/keine** Gurke
Plural	**die/–/keine** Tomaten	**die/–/keine** Tomaten

Verben mit Akkusativ

	brauchen	eine Gurke.
	haben	keinen Käse.
	machen	einen Salat.
	kochen	keine Suppe.
Wir	**essen**	das Fleisch.
	kaufen	die Getränke.
	nehmen	den Schinken.
	mögen	Schokolade.
	möchten	ein Würstchen.

Alltag und Familie

meine bruder *miene Oma*

A 6

B 1

1 a Was macht Kaan? Ordnen Sie die Fotos den Sätzen zu.

1. Kaan geht in die Mensa. *table* __B__

2. Kaan trifft Marie. *to meet* __D__

3. Er fährt in die Uni. *to drive* __F__

4. Kaan duscht. __E__

5. Er lernt in der Bibliothek. __G__

6. Er besucht seine Oma. *to visit* __A__

7. Kaan frühstückt und liest Nachrichten. *message* __C__

🔊 **b** **Wann macht Kaan was? Hören Sie und nummerieren Sie die Fotos. Erzählen Sie.**

1.60–66

Am Morgen duscht Kaan. Dann frühstückt er und liest. …

🔊 **2 a** **Was macht Kaan am Sonntag? Hören Sie das Gespräch und markieren Sie.**

1.67

Read newspar Zeitung lesen | *to get lunch with family* mit der Familie zu Mittag essen | *to sleep in* lange schlafen | *Play soccer* Fußball spielen

meet friends Freunde treffen | *to learn* lernen | *visit grandma* Oma besuchen | *Eat pizza* Pizza essen | *Meet Marie* Marie treffen

Go to the supermarket in den Supermarkt gehen | ins Kino gehen | *to go on the computer* am Computer arbeiten

b Arbeiten Sie zu zweit und sprechen Sie abwechselnd.

Am Sonntag schläft Kaan lange.

Er ...

3 a Und Ihr Tag? Erzählen Sie. Die anderen raten: Ist das am Wochenende oder nicht?

Morgens trinke ich einen Kaffee und esse Müsli mit Obst. Dann gehe ich ins Büro ...

Das ist nicht am Wochenende!

b Montag, Dienstag, Mittwoch ... Mein Tag. Machen Sie fünf Fotos zu einem Tag und schreiben Sie zu jedem Foto einen Satz. Präsentieren Sie in Gruppen.

Mein Samstag ist super: Ich frühstücke und ...

Wie spät ist es?

4 a Die Uhrzeiten. Hören Sie die Gespräche und ordnen Sie die Bilder zu.

1.68–71

A 4   B 3   C 1   D 2

b Ordnen Sie die Uhrzeiten den Bildern zu.

1:55 5 before 2   6:30
fünf vor zwei: _D_   halb sieben: _C_   zwanzig vor acht: _A_   zehn nach neun: _B_

5 a Wie spät ist es? Fragen und antworten Sie.

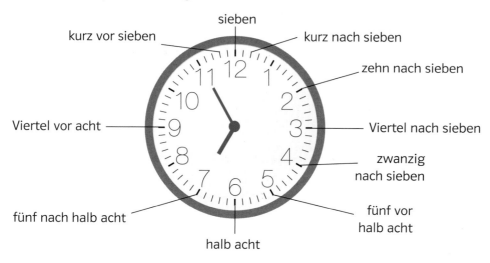

sieben

kurz vor sieben   kurz nach sieben

zehn nach sieben

Viertel vor acht   Viertel nach sieben

zwanzig
nach sieben

fünf nach halb acht   fünf vor
halb acht

halb acht

Wie spät ist es? /
Wie viel Uhr ist es?
14:45 Uhr
inoffiziell
Es ist Viertel vor drei.
offiziell
Es ist vierzehn Uhr fünfundvierzi

Wann?
Um Viertel vor drei.
Um vierzehn Uhr fünfundvierzig.

 1.    2.    3.    4.

b Uhrzeit offiziell. Wann? Hören Sie und notieren Sie die Uhrzeit.

1.72–76

1. um _**13:10**_   3. um _18:30 achtzehn uhr dreizig_ 5. um _21:53_

2. um _16:45_   4. um _20:15_

c Wie sagt man die Uhrzeiten in Ihrer Sprache? Vergleichen Sie.

▶ 10–11 **6** Wann ...? – Um ... Notieren Sie fünf Fragen. Arbeiten Sie dann zu zweit. Fragen und antworten Sie.

Wann frühstückst du?   *Um Viertel nach sieben. Wann fährst du ins Büro?*   *Um ...*

Familie und Termine

7a **Sehen Sie den Kalender von Familie Dobart an. Ergänzen Sie die Sätze.**

	Florian	Lena	Hannes	Mara
2 Fr	9:00 Dr. Schwarz	Mathe-Test!!	17.20 Friseur	Arbeit 9:00 – 17:00
3 Sa	11:00 Spiel	14:00 Geburtstag Sara	Mutter!!!	Arbeit 7:00 – 14:00
4 So	~~Spiel 16:30~~ Onkel Michi besuchen	Onkel Michi	Hamburg	Arbeit 7:00 – 14:00
5 Mo	16:15 Training	17:00 Geige	Hamburg	
6 Di	16:30 Trompete	Englisch-Test!	Hamburg	19:30 Annalisa

1. Hannes ist … in Hamburg.
2. Mara arbeitet …
3. Florian hat … kein Spiel.
4. Lena hat … Geigenunterricht.
5. Mara trifft … Annalisa.

1. Hannes ist von Sonntag bis Dienstag in Hamburg.

G

Wann?
am Montag, **am** Vormittag …
um drei Uhr, **um** Viertel nach vier
Wie lange?
von Sonntag **bis** Dienstag
von 9 **bis** 17 Uhr

🔊 1.77

b **Hören Sie das Gespräch. Sind die Sätze richtig oder falsch? Kreuzen Sie an und ergänzen Sie.**

richtig falsch

1. Mara Dobart telefoniert mit der Musikschule. ☐ ☐
2. Die Tochter Lena ist am Montag bis 19:00 Uhr in der Schule. ☐ ☐
3. Der Sohn Florian kommt am Dienstag zum Trompetenunterricht. ☐ ☐
4. Florian ist krank und bleibt zu Hause. ☐ ☐

die Eltern: *der Vater* ———•——————•——— *die Mutter*

die Kinder: ——————— <————————> ———————

8 a **Mara Dobart beschreibt ihre Familie. Ergänzen Sie.**

Ich bin Ärztin und habe zwei Kinder. _*Meine*_ Kinder gehen hier

in Frankfurt in die Schule. _____ Sohn Florian ist 12,

_____ Tochter Lena ist 14. _____ Mann heißt Hannes.

Er ist Techniker. Am Wochenende besuche ich oft _____

Bruder. Er ist verheiratet und wohnt auch in Frankfurt. _____

Schwester sehe ich leider nicht so oft. Sie ist ledig und wohnt in Kiel.

G

Possessivartikel: *mein, meine*

	Nominativ	**Akkusativ**
der	**mein** Sohn	**mein**en Sohn
das	**mein** Kind	**mein** Kind
die	**meine** Tochter	**meine** Tochter
die	**meine** Kinder	**meine** Kinder

b **Schreiben Sie einen Text wie in 8a über Ihre (Fantasie-)Familie.**

🔊💬 1.78

9 **„r" hören. Wo hören Sie „r", wo hören Sie „ᵃ"? Kreuzen Sie an. Wie ist die Regel?**
Hören Sie dann noch einmal und sprechen Sie nach.

hören [r] [a] Vater [r] [a] treffen [r] [a] Schwester [r] [a] Trompete [r] [a]
Tochter [r] [a] krank [r] [a] Uhr [r] [a] Büro [r] [a] Computer [r] [a]

Regel: „-r" oder „-er" am Wortende spricht man: [r] [a]

www.dobart.de

10 a   Die Homepage von Familie Dobart. Ordnen Sie die Sätze den Fotos zu.

<u>C</u>
Hannes und sein Motorrad. | Mara und ihr Sport. | Der Computer ist mein Hobby. |
<u>F</u>   <u>F</u>   <u>E</u>
Lena und ihre Geige. | Unser Hund Otto liebt seinen Ball. | Unsere Familie – alle zusammen.
<u>D</u>   <u>B</u>   <u>A</u>

Willkommen bei den Dobarts   ☒

Home
Das sind wir
Hannes @ work
Mara
Florian
Lena
Unser Haus
Unser Otto
Gästebuch
Links
Kontakt

A   B

C   D   E   F

b   Das Gästebuch. Lesen Sie die Einträge und ergänzen Sie die Possessivartikel.

G

Possessivartikel:

ich	<u>mein</u>	/e
du	<u>dein</u>	/e
er	sein	/e
es	sein	/e
sie	<u>ihre</u>	/e
wir	<u>unsere</u>	/e
ihr	<u>euer</u>	/eure
sie	ihr	/e
Sie	Ihr	/e

Pfote
Hey Lena,   *sweet*
<u>euer</u> Hund Otto ist süß! Ich habe zwei Mäuse, Mimi und Momo
🐭🐭, und <u>mein</u> Bruder hat einen Hamster 🐹, Charlie.

User 76
Hallo Hannes,
ich mag <u>dein</u> Motorrad, echt cool! Wann machen wir <u>eine</u> Tour
zusammen? Auch <u>euer</u> Familienfoto ist sehr schön.

Anna
Hallo Mara, hallo Hannes, toll: Lena und <u>ihre</u> Geige! Wie lange
spielt sie schon? <u>Unsere</u> Tochter Nadine spielt jetzt Saxofon,
seit 4 Wochen. ☺

**c   Arbeiten Sie zu dritt oder zu viert. Jede/r schreibt fünf Karten mit einem
Personalpronomen und fünf Karten mit einem Nomen plus Artikel. Machen Sie
zwei Stapel: einen mit den Pronomen und einen mit den Nomen. Ziehen Sie
abwechselnd zwei Karten und bilden Sie Sätze.**

er   *das
Fahrrad*   *Das ist sein Fahrrad.*

Die Verabredung

11 a **Stress! Lesen Sie die E-Mail. Markieren Sie die Modalverben *können, müssen* und *wollen*. Unterstreichen Sie dann die anderen Verben.**

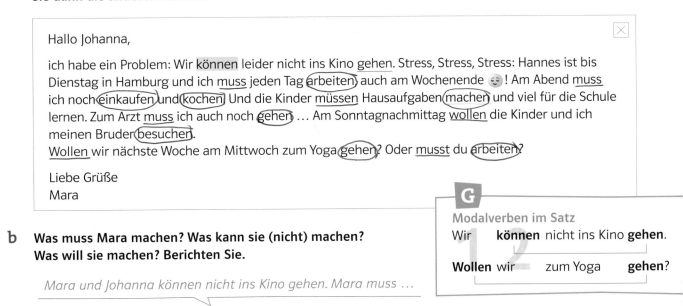

Hallo Johanna,

ich habe ein Problem: Wir können leider nicht ins Kino gehen. Stress, Stress, Stress: Hannes ist bis Dienstag in Hamburg und ich muss jeden Tag arbeiten, auch am Wochenende 😣! Am Abend muss ich noch einkaufen und kochen. Und die Kinder müssen Hausaufgaben machen und viel für die Schule lernen. Zum Arzt muss ich auch noch gehen … Am Sonntagnachmittag wollen die Kinder und ich meinen Bruder besuchen.
Wollen wir nächste Woche am Mittwoch zum Yoga gehen? Oder musst du arbeiten?

Liebe Grüße
Mara

b **Was muss Mara machen? Was kann sie (nicht) machen? Was will sie machen? Berichten Sie.**

Mara und Johanna können nicht ins Kino gehen. Mara muss …

> **G** Modalverben im Satz
>
> Wir **können** nicht ins Kino **gehen**.
>
> **Wollen** wir zum Yoga **gehen**?

c **Lesen Sie Johannas Antwort und ergänzen Sie die Modalverben in der richtigen Form.**

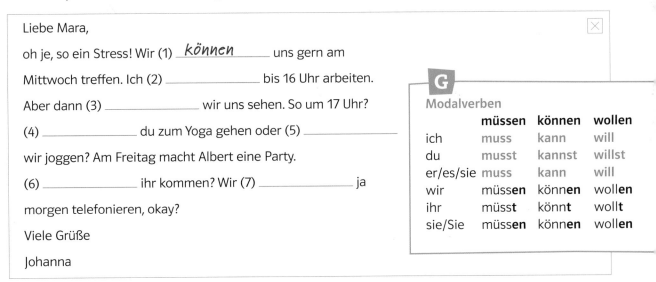

Liebe Mara,

oh je, so ein Stress! Wir (1) _könn␣en_ uns gern am

Mittwoch treffen. Ich (2) _____ bis 16 Uhr arbeiten.

Aber dann (3) _____ wir uns sehen. So um 17 Uhr?

(4) _____ du zum Yoga gehen oder (5) _____

wir joggen? Am Freitag macht Albert eine Party.

(6) _____ ihr kommen? Wir (7) _____ ja

morgen telefonieren, okay?

Viele Grüße

Johanna

> **G** Modalverben
>
> | | müssen | können | wollen |
> |---|---|---|---|
> | ich | muss | kann | will |
> | du | musst | kannst | willst |
> | er/es/sie | muss | kann | will |
> | wir | müssen | können | wollen |
> | ihr | müsst | könnt | wollt |
> | sie/Sie | müssen | können | wollen |

🔊 **12** **Hören Sie das Gespräch und variieren Sie den Dialog dreimal mit verschiedenen Personen.**

1.79

○ Was machst du morgen? Hast du Zeit?
● Tut mir leid. Morgen muss ich arbeiten.
○ Schade. Und am Dienstag?
● Das geht.
○ Wir können ins Kino gehen.
● Gute Idee! Wann? Um halb acht?
○ Halb acht ist super.

Ich muss …
zum Arzt gehen | Sport machen |
zum Sprachkurs gehen | lernen |
meine Eltern besuchen | …

Wir können …
ins Café gehen | Yoga machen |
tanzen gehen | Tennis spielen |
Fahrrad fahren | …

Kann ich einen Termin haben?

🔊 **13 a** **Termin beim Arzt. Hören Sie das Gespräch. Ordnen Sie die Aussagen zu.**
1.80

1. ○ Guten Tag, Praxis Dr. Steinig, Svetlana Keller.

   Was kann ich für Sie tun? _C_

2. ○ Können Sie am Freitag um 10:45 Uhr kommen? _____

3. ○ Nein, leider nicht, am Montag ist nichts frei.

   Geht es am Mittwoch um 11:30 Uhr? _____

4. ○ Also Mittwoch um 11:30 Uhr. Wie ist noch mal

   Ihr Name, bitte? _____

5. ○ Danke, Frau Dobart. Bis Mittwoch.

   Auf Wiederhören. _____

A ● Danke. Auf Wiederhören.

B ● Nein, ich muss am Freitag arbeiten.

   Geht es auch am Montag?

C ● Guten Tag! Mein Name ist Mara Dobart.

   Ich hätte gern einen Termin.

D ● Ja, das geht. Vielen Dank.

E ● Mara Dobart.

b **Lesen Sie den Dialog mit einem Partner /
einer Partnerin.**

14 **Vereinbaren Sie einen Termin. Wählen Sie eine
Rollenkarte und spielen Sie die Dialoge.**

> 1A   Sie sind Friseur/in.
> Ein Kunde / Eine Kundin möchte
> heute einen Termin. Es geht nur um
> 13 Uhr. Morgen geht es um 10 oder
> 17 Uhr.

> 1B
> Sie brauchen einen Termin
> beim Friseur, heute ab
> 16 Uhr. Morgen arbeiten Sie nur
> vormittags.

> 2A   Sie arbeiten in einer
> Sprachschule. Das Büro ist von
> 9 bis 12 Uhr offen und am
> Donnerstag auch am Abend von
> 17 bis 20 Uhr.

> 2B   Sie möchten einen
> Sprachkurs machen. Sie wollen
> nächste Woche in die Sprachschule
> kommen. Sie arbeiten immer
> von 9 bis 16 Uhr.

🔊 **Gut gesagt: Höflichkeit**
1.81

unhöflich ☹	höflich ☺	sehr höflich ☺☺
Ich **will** einen Termin!	**Kann** ich bitte einen Termin haben? / Ich **möchte** bitte einen Termin.	Ich **hätte gern** einen Termin.

!

Ein Telefongespräch vorbereiten
Überlegen Sie vorher: Was brauchen Sie?

Notieren Sie vor dem Gespräch Wörter und Fragen.

○ Ich hätte gern einen Termin. Haben
Sie heute/morgen / am ... einen
Termin frei?

● Nein, heute/morgen / am ... (leider) nicht,
aber am ... Können Sie am ... um ...
kommen?

○ Nein, das geht leider nicht. /
Nein, da kann ich leider nicht.
Geht es am ... um ...?

● Ja, das geht. Vielen Dank. / Ja, danke.

Pünktlichkeit?

15 a Lesen Sie und sehen Sie die Bilder an. Kann man hier zu spät kommen? Wie viele Minuten? Markieren und vergleichen Sie.

1. Herr Spiegel hat um 10:45 Uhr einen Termin beim Arzt.

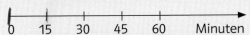

2. Kollegen sitzen am Abend in einer Bar. Pia ist noch nicht da. Termin: 20:00 Uhr

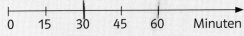

3. Frau Moser hat eine Besprechung in der Firma. Termin: 9:00 Uhr

4. Lena und Stefan kochen, Leo kommt zum Essen. Termin: 20:00 Uhr

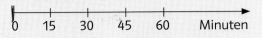

b Hören Sie. Wie viele Minuten sind die Personen zu spät? Ist das ein Problem? Ergänzen Sie die Tabelle.

1.82–85

▶ 12

	1. Arzt	**2. Bar**	**3. Firma**	**4. Abendessen**
Verspätung	*10 Minuten*			
Problem?	Ja ☐ Nein ☐	Ja ☐ Nein ☐	Ja ☐ Nein ☐	Ja ☐ Nein ☐

!

Zeitangaben
60 Sekunden = 1 Minute
30 Minuten = eine halbe
Stunde

▶ R3 **c** A wartet, B kommt zu spät. Was sagt A, was sagt B?

_B_ Es tut mir leid, ich bin zu spät. ___ Kein Problem. ___ Bitte entschuldigen Sie.

___ Entschuldigung, bitte. ___ Das nächste Mal bitte pünktlich! ___ Macht nichts.

___ Schon gut. ___ Ich bitte um Entschuldigung.

d Arbeiten Sie in Gruppen und spielen Sie die Situationen aus 15a.

Die Netzwerk-WG

▶ 10 **16** *Wir gehen joggen.* Sehen Sie Szene 10. Was passiert zuerst, was später? Ordnen Sie die Aussagen.

3 Es ist kein Brot da.

4 Max hat heute frei. Er will in den Supermarkt gehen.

2 Anna klopft bei Max. Sie wollen joggen.

1 Max schläft noch.

6 Max will am Abend kochen.

7 Anna und Max gehen joggen.

5 Anna trinkt Kaffee.

▶ 11 **17** *Wo ist Max?* Sehen Sie Szene 11. Wer macht das? Ergänzen Sie die Namen Anna, Bea, Luca und Max.

Um 19:30 Uhr kommt (1) _Luca_ nach Hause.

Er sucht (2) _Max_. Aber (3) _Max_ ist

noch nicht da. Um 19:45 Uhr kommt (4) _Bea_.

Dann essen (5) _Bea_ und _Luca_ zusammen

ein Brot. (6) _Anna_ schreibt: „Ich komme erst um

20:00 Uhr." Dann schreibt (7) _Max_: „Komme

gleich." Um 20:05 Uhr kommt (8) _Anna_ und fragt:

„Wo ist (9) _Max_?"

18 a Was glauben Sie: Was machen Luca, Bea und Anna?
Kreuzen Sie an und vergleichen Sie im Kurs.

Jetzt reicht's!

☐ 1. Sie kochen zusammen.
☐ 2. Sie gehen ins Restaurant.
☐ 3. Sie schreiben Max.
☒ 4. Sie bestellen online Essen.
☐ 5. Sie gehen zum Supermarkt.

▶ 12 **b** *Mmh, lecker.* Sehen Sie Szene 12. Sind Ihre Vermutungen aus 18a richtig?

c Sehen Sie Szene 12 noch einmal. Zu welchen Fotos passen die Denkblasen? Ordnen Sie zu.

1. Was macht er jetzt?

3. Wie bitte? Er möchte auch Pizza?

5. Ich habe auch Hunger.

7. Für dich gibt es nichts!

2. Bitte auch ein Stück für mich.

4. Wir können warten.

6. Ich habe viel Zeit.

8. Da musst du lange warten.

A

B

die Uhrzeit nennen

Frage

Wie spät ist es? /
Wie viel Uhr ist es?

inoffiziell

Es ist Viertel vor drei.
Es ist halb zwei.

`14:45` **offiziell**

Es ist vierzehn Uhr fünfundvierzig.
Es ist dreizehn Uhr dreißig.

Wann?

Um zehn nach neun.
Um kurz vor eins.

Um neun Uhr zehn.
Um zwölf Uhr achtundfünfzig.

einen Termin vereinbaren

Ich hätte gern einen Termin. /
Haben Sie heute/morgen / am … einen Termin?

Ja. Da geht es um 14:15 Uhr.
Nein, heute/morgen / am … geht es (leider) nicht, aber am …

Können Sie am … um … kommen? /
Geht es am … um … Uhr?

Ja, da kann ich. / Nein, da kann ich leider nicht.
Ja, das geht. / Nein, das geht leider nicht.

sich für eine Verspätung entschuldigen …

Entschuldigung, bitte.
Bitte entschuldigen Sie.
Ich bitte um Entschuldigung.
Es tut mir leid, ich bin zu spät.

… und darauf reagieren

Schon gut.
Kein Problem.
Macht nichts.
Das nächste Mal bitte pünktlich!

Zeitangaben: *am, um, von … bis*

	Wochentage/Tageszeiten	**Uhrzeit**
Wann?	**am** Montag / **am** Vormittag	**um** Viertel vor drei
Wie lange?	**von** Montag **bis** Samstag	**von** neun **bis** halb zwei

Possessivartikel

		Nominativ	Akkusativ
der	ein/kein	**mein** Vater	**meinen** Vater
das	ein/kein	**mein** Kind	**mein** Kind
die	eine/keine	**meine** Mutter	**meine** Mutter
die	--/keine	**meine** Eltern	**meine** Eltern

	maskulin/neutrum	feminin/Plural
ich	mein	meine
du	dein	deine
er	sein	seine
es	sein	seine
sie	ihr	ihre
wir	unser	unsere
ihr	euer	eu**r**e
sie	ihr	ihre
Sie	Ihr	Ihre

Modalverben

	müssen	**können**	**wollen**
ich	muss	kann	will
du	musst	kannst	willst
er/es/sie	muss	kann	will
wir	müss**en**	könn**en**	woll**en**
ihr	müss**t**	könn**t**	woll**t**
sie/Sie	müss**en**	könn**en**	woll**en**

Modalverben im Satz: Satzklammer

Aussagesatz Modalverb auf Position 2	Wir können nicht ins Kino gehen.
Ja-/Nein-Frage Modalverb auf Position 1	Wollen wir zum Yoga gehen? Satzende: Infinitiv

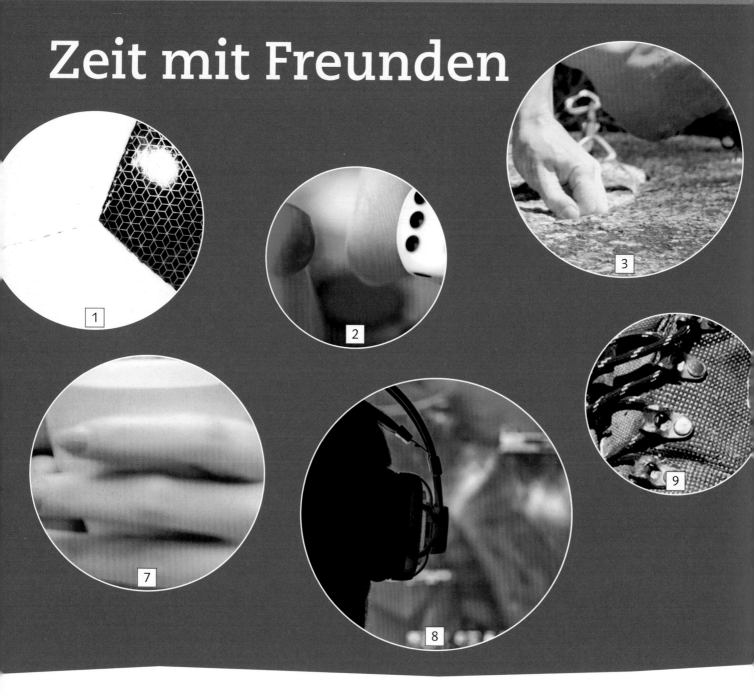

Zeit mit Freunden

1 a   Sehen Sie die Fotos an. Welche Freizeitaktivität passt? Raten Sie.

to go to the fitness studio   to play soccer   to grill   Board games   to ski   to climb

ins Fitness-Studio gehen | Fußball spielen | grillen | Spiele spielen | Ski fahren | klettern |
feiern | Fahrrad fahren | wandern | einen Film sehen | ins Café gehen | Computer spielen

to celebrate   to ride bikes   to hike   to watch a film   Go to the cafe   to play videogames

Ich glaube, Bild 1 ist …

Vielleicht ist Bild 5 …

b   Welche Wörter in 1a sind ähnlich in Ihrer Sprache oder kennen Sie schon aus anderen Sprachen?

„Café" heißt auf Spanisch auch „café".

6

5

4

6

11

10

12

c Arbeiten Sie zu zweit. Wählen Sie drei Fotos. Notieren Sie zu den Fotos fünf Wörter. Das Wörterbuch hilft. Wer ist zuerst fertig?

einen Film sehen: zu Hause, allein, das Kino, Freunde ...

🔊 **2 a** Hören Sie. Um welche Freizeitaktivitäten geht es? Notieren Sie.

1.86-89

1. _____   3. _____

2. _____   4. _____

b Welche Freizeitaktivitäten mögen Sie? Suchen Sie Fotos und machen Sie Ratebilder oder spielen Sie Pantomime. Die anderen raten.

Hörst du gern Musik?   *Ja, genau!*

Eine Überraschung für Sofia

3 a   **Sofias Geburtstag. Lesen Sie: Was planen Marc und Anne?**

Hi Marc! Alles klar?

Ja, Anne! Bei dir auch?

Ja. Sofia hat nächste Woche Geburtstag – sie wird 30!

Echt? Wann denn?

Am 16.7. Das ist ein Donnerstag.

Und was möchtest du ihr schenken? *Gift*

Einen Tag mit ihren Freunden. 😊 Kannst du helfen? *help*

Klar. Super Idee. Wann wollen wir feiern? Am Sonntag?

Am 19.7.? Nein, das geht nicht. Sofia besucht ihre Eltern. Und am Freitag arbeitet sie. Dann feiern wir am Samstag.

Okay, am Samstag. Also am 18.7. Und was machen wir?

Eine Fahrradtour und ein Picknick.

Klingt gut. 😄 *whom* Wen wollen wir einladen? *invite*

b   **Was ist an den Tagen? Lesen Sie noch einmal. Ergänzen Sie die Sätze.**

1. Am 16.7. _hat_ Sofia Geburtstag.

2. Sofia _arbeitet_ am 17.7.

3. Am 18.7. _____ die Freunde mit Sofia.

4. Am 19.7. _besucht_ Sofia ihre Eltern.

G

Ordinalzahlen: Datum
Wann? Am …

1. ers**ten** *First*	5. fünf**ten**	9. neun**ten**
2. zwei**ten**	6. sechs**ten**	10. zehn**ten**
3. drit**ten**	7. sieb**ten**	20. zwanzigs**ten**
4. vier**ten**	8. ach**ten**	30. dreißigs**ten**

Ich habe am 15.11. Geburtstag. = Ich habe am fünfzehnten November / am fünfzehnten Elften Geburtstag.

🔊 **4 a**   **Wann haben die Personen Geburtstag?**
1.90   **Hören Sie und notieren Sie das Datum.**
   Was ist besonders an den Geburtstagen?

Marc   _22. 9._

Susanne und Laura   _24. 9._

Sven   _31. 12._

Lena   _29. 2._

Am dritten März.

Am siebten April.

Wann hast du Geburtstag?

b   **Geburtstage. Stellen Sie sich im Kurs nach dem Kalender auf.**

🔊💬 **5 a**   *ei, eu, au.* **Wann haben die Personen Geburtstag? Hören und verbinden Sie.**
1.91

Herr Rauter   Herr Reuter   Herr Reiter   Frau Beimer   Frau Beumer   Frau Baumer

März   April   Mai   Juni   Juli   August

🔊💬 **b**   **Hören Sie und sprechen Sie nach.**
1.92

Wan hast du Geburtstag? – When is your birthday

Ich habe am dreißigsten - sechsten

6 a Die Einladung. Lesen Sie und beschreiben Sie: Was wollen die Freunde machen?

[handwritten: Sofia has birthday]
[handwritten: einladen - to invite]

> Betreff: Psst – eine Überraschung für Sofia
>
> Hallo liebe Freunde von Sofia, *[handwritten: anfangen - to start]*
> Sofia hat Geburtstag! Unsere Idee für das Geschenk ist ein Tag mit Freunden. Macht ihr mit? *[handwritten: Mitmachen]*
> Wir laden Sofia ein. Unser Überraschungstag fängt am 18.7. um 10 Uhr an, Treffpunkt am Bahnhof. *[handwritten: Meeting point]*
> Wir holen dann zusammen Sofia ab. Wir machen einen Ausflug mit dem Fahrrad und ein Picknick. *[handwritten: Picnic]*
> Getränke und Essen bringen wir mit. Der Tag ist das Geschenk für Sofia – wir sammeln 10 €
> pro Person ein. Bei Regen essen wir zusammen und gehen ins Kino. Wir rufen morgens an oder *[handwritten: einsammeln - to collect]*
> schicken eine Nachricht. *[handwritten: bringing]* *[handwritten: to call]*
> Hoffentlich könnt ihr alle mitkommen! Achtung: Sofia weiß nichts!
> Viele Grüße *[handwritten: You all can]*
> Marc und Anne

[handwritten: Sentence clump subject, verb, blah blah blah, prefix]

b Markieren Sie die Verben *mitmachen, einladen, anfangen, abholen, mitbringen, einsammeln, anrufen* und *mitkommen*. Was ist besonders?

▶ G2 **c** Bilden Sie Sätze. Beginnen Sie mit den markierten Wörtern.

1. Marc und Anne / alle Freunde / einladen
2. der Tag / um 10 Uhr / anfangen
3. sie / Sofia / zusammen / abholen
4. Marc und Anne / das Essen / mitbringen
5. sie / bei Regen / alle / anrufen
6. Marc und Anne / Geld / einsammeln
7. viele Freunde / am Samstag / können / mitkommen

> **G**
>
> **Trennbare Verben**
>
> | einladen | Sie | laden | die Freunde | ein. |
> | abholen | Sie | holen | Sofia | ab. |
> | | Sie | wollen | Sofia | abholen. |

1. Marc und Anne laden alle Freunde ein.
2. Der Tag fangen um 10 Uhr an   *3. Sie holen Sofia zusammen ab*

▶ 13 **7 a** Wie feiern Sie Geburtstag? Fragen Sie Ihren Partner / Ihre Partnerin und notieren Sie
die Antworten.

[handwritten: Whom are you inviting?]
1. Wen lädst du ein?
2. Wer ruft am Geburtstag an? *[handwritten: who's calling who?]*   **Sebastian:**
3. Was kaufst du für dein Fest ein? *[handwritten: when does it start?]*   1. Familie, Freunde ...
4. Wann fängt das Fest an? Wann hört es auf? *[handwritten: when does it end?]*
5. Bringen deine Gäste etwas mit? Was? *[handwritten: Are the guests bringing anything?]*

b Suchen Sie einen anderen Partner / eine andere Partnerin und berichten Sie von Ihrem Interview.

Sebastian lädt seine Familie und Freunde ein.

8 Ein Fest mit Freunden. Schreiben Sie eine Einladungs-Mail.
Machen Sie zuerst Notizen zu den Fragen.

Wann?   *am ..., um ...*

Wo?   *im Park / in der Riedstraße 12*

Was?   *essen, spielen, tanzen ...*

> **!**
>
> **Eine Mail schreiben**
> Schreiben Sie in der Mail eine Anrede
> (z. B. *Liebe Freunde, / Hallo …*) und einen
> Gruß (z. B. *Liebe/Viele/Herzliche Grüße*).

Liebe Freunde, am ... feiere ich ...

Im Restaurant

9 Jan trifft Leela. Sehen Sie die Bilder an. Was passiert? Wie ist das in Ihrem Land? Erzählen Sie.

A

B

C

🔊 **10 a** Die Bestellung. Hören Sie das Gespräch. Was bestellen Jan und Leela? Kreuzen Sie an.
1.93

	Jan	Leela
1. Apfelsaftschorle	☐	☐
2. Cola	☐	☐
3. Wasser	☐	☐
4. Salat mit Käse	☐	☐
5. Pizza mit Gemüse	☐	☐

🔊 **b** Personalpronomen im Akkusativ. Hören Sie noch einmal einen Teil
1.94 des Gesprächs aus 10a. Ergänzen Sie.

○ Was möchten Sie trinken?

● Für _mich_ bitte eine Apfelsaftschorle. Und für _dich_, Leela?
   Ich lade _dich_ ein.

△ Oh, danke! Bitte eine Cola.

Always accusative ○ Und was möchten Sie essen?

△ Für _mich_ bitte einen Salat mit Käse.

○ Gern. Und für _Sie_?

● Für _mich_ bitte eine Pizza mit Gemüse.
   Können Sie auch Wasser für den Hund bringen?

○ Ja, natürlich, ich bringe gleich Wasser für _ihn_.

G

für ▼ **Akkusativ**
Für wen?
Für mich bitte einen Salat.
Das Wasser ist **für den** Hund.

G

Personalpronomen im Akkusativ

ich	**mich**	wir	**uns**
du	**dich**	ihr	**euch**
er	**ihn**	sie	**sie**
es	**es**		
sie	**sie**	Sie	**Sie**

▶ 14 **c** Für wen ist was? Spielen Sie zu zweit. Jede/r würfelt zwei Mal: das erste Mal für das Essen/Getränk,
das zweite Mal für das Personalpronomen. Bilden Sie Sätze.

⚀	⚁	⚂	⚃	⚄	⚅
der Apfelsaft	der Kuchen	der Kaffee	die Suppe	das Wasser	die Pizza
ich	du	er	sie	wir	ihr

⚂ ⚅ *Der Kaffee ist für euch.*

11 **Was möchten Sie? Spielen Sie zu dritt Dialoge.**

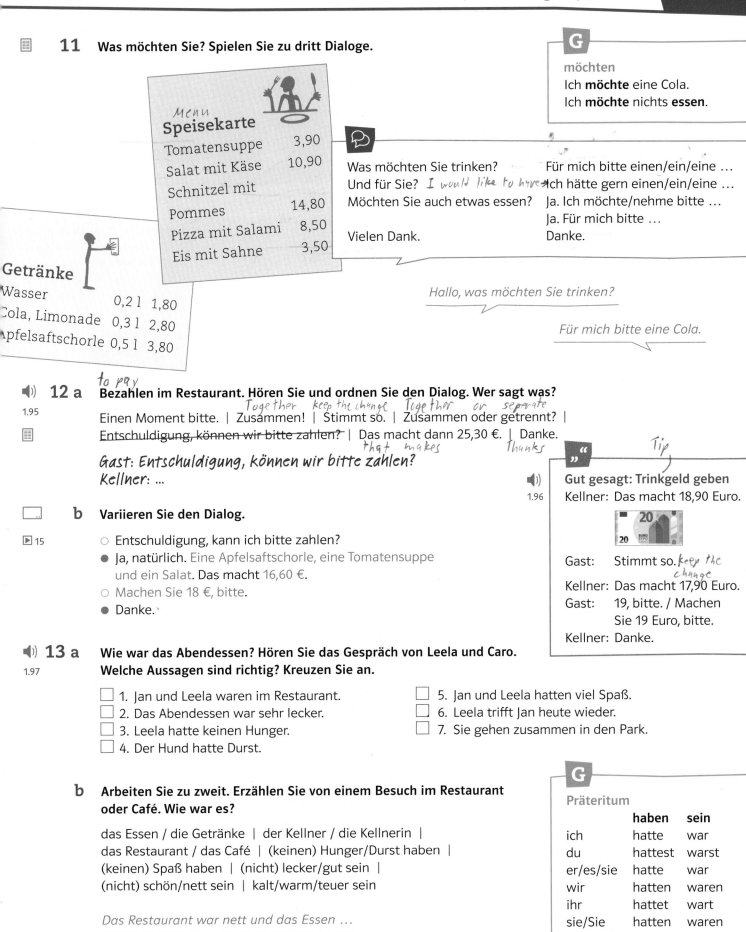

Menu
Speisekarte

Tomatensuppe	3,90
Salat mit Käse	10,90
Schnitzel mit Pommes	14,80
Pizza mit Salami	8,50
Eis mit Sahne	3,50

Getränke

Wasser	0,2 l	1,80
Cola, Limonade	0,3 l	2,80
Apfelsaftschorle	0,5 l	3,80

G

möchten
Ich **möchte** eine Cola.
Ich **möchte** nichts **essen**.

Was möchten Sie trinken?
Und für Sie? *I would like to have*
Möchten Sie auch etwas essen?

Vielen Dank.

Für mich bitte einen/ein/eine …
Ich hätte gern einen/ein/eine …
Ja. Ich möchte/nehme bitte …
Ja. Für mich bitte …
Danke.

Hallo, was möchten Sie trinken?

Für mich bitte eine Cola.

12 a *to pay*
1.95 **Bezahlen im Restaurant. Hören Sie und ordnen Sie den Dialog. Wer sagt was?**
Together   keep the change   Together   or   separate
Einen Moment bitte. | Zusammen! | Stimmt so. | Zusammen oder getrennt? |
~~Entschuldigung, können wir bitte zahlen?~~ | Das macht dann 25,30 €. | Danke.
that   makes   Thanks

Gast: Entschuldigung, können wir bitte zahlen?
Kellner: …

b **Variieren Sie den Dialog.**

▷ 15

○ Entschuldigung, kann ich bitte zahlen?
● Ja, natürlich. Eine Apfelsaftschorle, eine Tomatensuppe
  und ein Salat. Das macht 16,60 €.
○ Machen Sie 18 €, bitte.
● Danke.

" " *Tip*

Gut gesagt: Trinkgeld geben
1.96 Kellner: Das macht 18,90 Euro.

Gast: Stimmt so. *keep the change*
Kellner: Das macht 17,90 Euro.
Gast: 19, bitte. / Machen
         Sie 19 Euro, bitte.
Kellner: Danke.

13 a **Wie war das Abendessen? Hören Sie das Gespräch von Leela und Caro.**
1.97 **Welche Aussagen sind richtig? Kreuzen Sie an.**

☐ 1. Jan und Leela waren im Restaurant.
☐ 2. Das Abendessen war sehr lecker.
☐ 3. Leela hatte keinen Hunger.
☐ 4. Der Hund hatte Durst.
☐ 5. Jan und Leela hatten viel Spaß.
☐ 6. Leela trifft Jan heute wieder.
☐ 7. Sie gehen zusammen in den Park.

b **Arbeiten Sie zu zweit. Erzählen Sie von einem Besuch im Restaurant**
oder Café. Wie war es?

das Essen / die Getränke | der Kellner / die Kellnerin |
das Restaurant / das Café | (keinen) Hunger/Durst haben |
(keinen) Spaß haben | (nicht) lecker/gut sein |
(nicht) schön/nett sein | kalt/warm/teuer sein

Das Restaurant war nett und das Essen …

G

Präteritum

	haben	sein
ich	hatte	war
du	hattest	warst
er/es/sie	hatte	war
wir	hatten	waren
ihr	hattet	wart
sie/Sie	hatten	waren

Kneipen & Co in D-A-CH

Kaffeehaus

In Wien gibt es viele Kaffeehäuser, sie sind typisch für Wien. Dort trinkt man Kaffee, aber natürlich auch andere Getränke. Man kann auch richtig essen oder nur einen Kuchen bestellen. Viele Menschen lesen im Kaffeehaus Zeitung oder treffen Freunde. Die Kaffeehäuser haben meistens bis 23 Uhr geöffnet.

Biergarten

Biergärten sind typisch für Bayern. Sie haben nur im Sommer geöffnet. Man sitzt draußen an langen Tischen und Bänken. Oft gibt es einen Spielplatz für Kinder. Getränke muss man dort kaufen, aber das Essen kann man auch selbst mitbringen. Im Biergarten ist Selbstbedienung, es gibt keine Kellner.

Strandbar

In vielen Städten in D-A-CH gibt es i Sommer Strandbars. Sie sind meister an einem Fluss oder an einem See. Man kann dort etwas trinken und auc essen. Strandbars haben nur bei Sonn und gutem Wetter geöffnet.

Kneipe

Kneipen gibt es überall. Sie haben meistens ab Nachmittag bis spät nachts geöffnet. Am Abend ist es oft sehr voll und viele Leute stehen. Es gibt kleine Gerichte, z. B. Sandwiches, manchmal auch eine große Speisekarte.
In Wien heißen die Kneipen „Beisl", in der Schweiz „Beiz".

> **! Beim Lesen wichtige Informationen finden**
> Sie müssen nicht alles verstehen. Suchen Sie nur Informationen zu den Fragen. Markieren Sie im Text die Antworten auf die Fragen.

14 a Verschiedene Lokale. Lesen Sie die Texte und ergänzen Sie die Tabelle.

	Wo?	**Wann geöffnet?**	**Essen und Trinken?**
Kaffeehaus	in Wien		
Biergarten			Trinken ja, Essen mitbringen
Strandbar		nur im Sommer	
Kneipe			

b Was finden Sie interessant? Welches Lokal möchten Sie gern besuchen? Sprechen Sie in Gruppen.

Ich finde Biergärten interessant. Man kann selbst Essen mitbringen!

Ich möchte gern eine Strandbar besuchen.

c Welche typischen Lokale gibt es in Ihrem Land / in Ihrer Stadt? Berichten Sie.

Bei uns gibt es viele ...

Typisch ist ...

Man kann dort ...

Was ist los in ...?

15 a Lesen Sie die Anzeigen. Wo fehlen diese Informationen?

Preis: _A,_____   Ort: _____   Uhrzeit: _____   Datum: _____

A **EXTRA-KONZERT**

Mark Forster

am _____
in der Stadthalle Wien

Tickets ab _____
Konzertbeginn 20 Uhr

B

Lange Museumsnacht am
28.8. in _____
Die lange Kultur-Nacht beginnt um
_____ und endet um _____ früh.
Alle Museen in der Stadt sind geöffnet
und haben ein Extra-Programm.
Das Ticket kostet _____.

C

Open-Air-Kino am Zürichsee
bei gutem Wetter an jedem Abend
im August um _____ Uhr
am _____ und 22.8.
Double Feature mit zwei Filmen
Eintritt ab 20 Uhr
Tickets für _____ Franken,
Double Feature für 15,– Franken

D *Marathon Erfurt*

am _____
Laufen Sie durch Stadt und Natur und
genießen Sie die besondere Atmosphäre!
Anmeldung jetzt!
Halbmarathon 33,– Euro,
Marathon _____

E

Fußball Champions League am _____

FC Bayern München : FC Basel

Allianz Arena München. Beginn 20:45 Uhr.
Karten für _____ bei uns! Ticketbox München

!

**Beim Hören wichtige Informationen
verstehen**
Achten Sie auf wichtige Wörter.
Beispiel: Sie wollen den Preis wissen.
→ Wichtige Wörter sind:
*Preis, Ticket, Karte, kosten, Euro,
Franken* und die Zahlen.
Hören Sie ein wichtiges Wort?
→ Passen Sie auf!
Sie müssen nicht alles verstehen.

🔊 1.98 **b** Hören Sie und ergänzen Sie die Informationen.

c Was wollen Sie gern machen? Sprechen Sie im Kurs und finden Sie für alle Aktivitäten einen Partner /
eine Partnerin. Notieren Sie die Namen.

Konzert	Kino	Fußballspiel	Museumsnacht	Marathon

Ich möchte ins Konzert gehen. Kommst du mit?

Ja, gern.   *Gute Idee!*   *Ja, warum nicht?*   *Nein, ich habe keine Lust. Ich möchte ...*

d Was kann man in Ihrer Stadt machen? Recherchieren Sie und präsentieren Sie im Kurs.

Die Netzwerk-WG

▶ 13 **16 a** *Luca hat Geburtstag.* Sehen Sie Szene 13. Was bereiten Anna, Max und Bea für die Party vor? Verbinden Sie die Wörter mit dem Foto.

1. der Teller *Plate*
   Glass 2. das Glas
   Flowr 3. die Blume
   Napkin 4. die Serviette
   Bread 5. das Brot

6. das Geschenk
7. der Kuchen *cake*
8. die Kerze *candle*
9. die Karte
10. die Girlande *(Garland)*

b Was ist richtig? Kreuzen Sie an. Sehen Sie dann die Szene noch einmal und kontrollieren Sie.

☐ 1. Es ist zwölf Uhr.
☒ 2. Luca kommt von der Arbeit.
☒ 3. Die Freunde singen ein Lied für ihn.

☒ 4. Luca schläft auf dem Sofa.
☐ 5. Max bringt Luca einen Kaffee.
☐ 6. Luca möchte für die WG kochen.

▶ 14 **17** *Lucas Einladung.* Sehen Sie Szene 14. Was essen und trinken Luca, Anna und Max? Markieren Sie in der Speisekarte.

Getränke		
Wasser	0,3 l	2,60 €
	0,75 l	5,50 €
Apfelsaft	0,2 l	3,40 €
Orangensaft	0,2 l	3,40 €
Apfelschorle	0,3 l	3,00 €
Cola	0,3 l	3,20 €
Orangenlimonade	0,3 l	3,20 €

Essen	
Kartoffelsuppe	4,20 €
Salat mit Tomate, Gurke und Käse	5,50 €
Vorspeiseplatte für zwei Personen	9,90 €
Vorspeiseplatte für vier Personen	18,- €
Pizza mit Käse und Salami	7,90 €
Wiener Schnitzel mit Bratkartoffeln	13,50 €
Fisch vom Grill mit Reis	16,90 €

▶ 15 **18 a** *Essen für Bea.* Sehen Sie Szene 15. Was sagt Bea am Telefon? Ordnen Sie zu.

1. ○ Hallo Bea! _____

2. ○ Was ist los? _____

3. ○ Oh, wirklich? Schade! _____

4. ○ Na gut, dann bis später. _____

A ● Ja, finde ich auch. Echt schade!

B ● Ja, viel Spaß noch! Bis später.

C ● Hi Luca!

D ● Ich muss leider noch arbeiten.

b Sehen Sie die Szene noch einmal. Wer sagt was? Ordnen Sie zu.

Können wir das mitnehmen?   *Hoffentlich hat sie Hunger.*   *Können wir bitte zahlen?*

Zusammen oder getrennt?   *Oje, ich bin so satt.*

die Kellnerin   Luca   Anna   Max

eine Einladung schreiben

Hallo ..., / Liebe ..., / Lieber ...,
wir machen ein Fest / eine Party / ... Wir laden dich/euch herzlich ein.
Die Party ist am ... in ... Wir fangen um ... an.
Kannst du / Könnt ihr ... mitbringen?
Hoffentlich hast du / habt ihr Zeit!
Liebe Grüße / Viele Grüße / Herzliche Grüße

Essen und Getränke bestellen und bezahlen

Was möchten Sie trinken/bestellen?
Und für Sie?
Möchten/Wollen Sie auch etwas essen?

Für mich bitte ein Wasser / eine Cola.
Ich hätte gern einen Apfelsaft.
Ja. Ich möchte/nehme einen Salat, bitte.
Für mich bitte eine Suppe.

Entschuldigung, kann ich / können wir bitte
  zahlen?
Zusammen, bitte!
Stimmt so. / Machen Sie ... bitte. / ... bitte.

Einen Moment, bitte. / Ja, gern.
Zusammen oder getrennt?
Das macht (zusammen) ... Euro.

über ein Ereignis sprechen

fragen

Wie war ...?
Ist das Restaurant teuer/gut?

Hattet ihr (keinen) Spaß?

erzählen

Es war super/schön / nicht so gut.
Das Essen war okay/lecker.
Der Kellner war (nicht so) nett.
Wir hatten viel/keinen Spaß.

Ordinalzahlen: Datum

Wann? Am ...

1. ersten	5. fünften	9. neunten	13. dreizehnten	21. einundzwanzigsten
2. zweiten	6. sechsten	10. zehnten	14. vierzehnten	22. zweiundzwanzigsten
3. dritten	7. siebten	11. elften	15. fünfzehnten	30. dreißigsten
4. vierten	8. achten	12. zwölften	20. zwanzigsten	31. einunddreißigsten

trennbare Verben

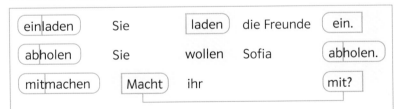

einladen	Sie	laden	die Freunde	ein.
abholen	Sie	wollen Sofia		abholen.
mitmachen	Macht	ihr		mit?

ab|holen, an|fangen, an|rufen, ein|laden, ein|sammeln,
mit|bringen, mit|kommen, mit|machen ...

Präteritum: *haben* und *sein*

	haben	sein
ich	hatte	war
du	hattest	warst
er/es/sie	hatte	war
wir	hatten	waren
ihr	hattet	wart
sie/Sie	hatten	waren

Personalpronomen im Akkusativ

ich	mich	wir	uns
du	dich	ihr	euch
er	ihn	sie	sie
es	es		
sie	sie	Sie	Sie

Ich lade **dich** ein.
Holst du **mich** ab?

Präposition *für* + Akkusativ

Für wen ist das Wasser?
Das Wasser ist **für den** Hund / ihn.

Wiederholungsspiel

1 Spielen Sie zu fünft: zwei Spieler-Paare und ein Experte / eine Expertin.
Welches Spielerpaar hat am Ende die meisten Punkte?

Werfen Sie eine Münze:

Kopf

→ Spielen Sie einen
Dialog zu dem Bild oben.

Zahl

→ Lösen Sie die
Aufgabe unten.

Der Experte / Die Expertin
entscheidet:
Wie war Ihr Dialog?

Sehr gut → 5 Punkte
Gut → 3 Punkte
Nicht so gut → 1 Punkt

War Ihre Antwort
richtig? → 3 Punkte

Der Experte / Die Exper-
tin notiert die Punkte.
Er/Sie bekommt aus
dem Lehrerhandbuch
Informationen zu den
Dialogen und Aufgaben.

Start Team A

1 • • • • • • • 2 • • • • • • • 3

Wann haben Sie
Geburtstag?

Nennen Sie je ein Nomen für:
– Milchprodukte
– Obst
– Gemüse

Ergänzen Sie den Dialog:
○ Wer ist das?
● Das ist … Mutter.
Und hier siehst du … Vater

Start Team B

1 • • • • • • • 2 • • • • • • • 3

Wann hat Ihr Freund / Ihre
Freundin Geburtstag?

Was kauft man wo? Nennen
Sie je ein Nomen:
– in der Metzgerei
– im Supermarkt
– auf dem Markt

Ergänzen Sie den Dialog:
○ Wer ist das?
● Das ist … Tochter.
Und hier siehst du … Sohn

•••• **4** ••••••••••••••••••• **5** •••••••••••••••••••• **6** ••••••••••• Ziel

Wie heißen die Formen?
ich kann, du …,
er/es/sie …, wir …,
ihr …, sie/Sie …

Wie heißen die Wörter?
Nennen Sie auch
Artikel und Plural.

Bilden Sie einen Satz
mit dem Verb *einladen*.

•••• **4** ••••••••••••••••••• **5** •••••••••••••••••••• **6** •••••• Ziel

Wie heißen die Formen?
ich will, du …,
er/es/sie …, wir …,
ihr …, sie/Sie …

Wie heißen die Wörter?
Nennen Sie auch
Artikel und Plural.

Bilden Sie einen Satz
mit dem Verb *anrufen*.

Zeit

2 **Drei interessante Informationen. Sprechen Sie zu zweit wie im Beispiel.**

Fußball spielen	einkaufen	meine Kinder abholen
arbeiten	kochen	Freunde treffen
eine Mail schreiben	ins Kino gehen	Geige spielen
ins Café gehen	Zeitung lesen	lange schlafen
einen Film sehen	singen	tanzen
ins Fitness-Studio gehen	zum Arzt gehen	meine Eltern anrufen
klettern	Wörter lernen	eine Party machen

○ Ich gehe heute Nachmittag ins Café.
● Aha.
○ Ich will am Abend ins Kino gehen.
● Wirklich?
○ Ich muss morgen arbeiten.
● Sehr interessant. Du gehst heute Nachmittag ins Café, du willst am Abend ins Kino gehen und du musst morgen arbeiten.
○ Genau.

3 **Hast du Zeit? Ergänzen Sie ein Datum. Fragen und antworten Sie. Finden Sie einen Partner / eine Partnerin für drei Aktivitäten.**

Gehen wir am … zusammen ins Theater?
Machen wir am … eine Radtour?
Gehen wir am … ins Kino?
Machen wir am … eine Party?
Gehen wir am … ins Restaurant?
Ich gehe am … ins Konzert. Kommst du mit?
Wir gehen am … ins Museum. Kommst du mit?
Gehen wir am … Ski fahren?
Ich gehe am … wandern. Du auch?

Nein, tut mir leid.
Ja, gerne.
Gute Idee!
Okay.
Nein, ich habe leider keine Zeit.
Ja, warum nicht?
Nein, keine Lust.

Gehen wir am ersten Dritten zusammen ins Theater?

Nein, keine Lust.

4 **Tageszeiten. Arbeiten Sie zu zweit. Jede/r wählt einen Text und diktiert ihn seinem Partner / seiner Partnerin. Korrigieren Sie dann den Text.**

A

Am Morgen muss ich ganz viel laufen.
Mittags kann ich etwas kaufen.
Am Nachmittag will ich Freunde sehen
und am Abend ins Kino gehen.

B

Morgens trinke ich einen Tee.
Am Mittag schwimme ich im See.
Am Nachmittag bin ich allein.
Am Abend lade ich Freunde ein.

5 a Sehen Sie die Fotos an. Was passt: viel Zeit oder wenig Zeit? Notieren Sie die Nummern.

viel Zeit   wenig Zeit

_____   _____

b Vergleichen Sie Ihre Ergebnisse im Kurs.

c Ihre Zeit: Für welche Dinge brauchen Sie viel Zeit? Für welche möchten Sie mehr Zeit haben? Sammeln Sie.

Ich brauche viel Zeit für…

Ich möchte mehr Zeit für …

d Vergleichen Sie im Kurs.

Essen in D-A-CH

6 a Sehen Sie die Bilder an. Welches Gericht kennen Sie? Was möchten Sie probieren?

1

Matjes mit Kartoffeln

2

Currywurst mit Pommes

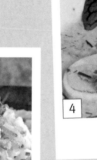

3

Käsespätzle

4

Grüne Soße

5

Kaiserschmarrn

6

Zürcher Geschnetzeltes mit Rösti

7

Käsefondue

8

Wiener Schnitzel mit Kartoffelsalat

b Arbeiten Sie zu dritt. Welche Lebensmittel sehen Sie auf den Bildern? Sammeln Sie. Vergleichen Sie dann im Kurs.

c Lesen Sie die Texte. Welcher Text passt zu welchem Gericht? Ordnen Sie zu.

Ingo, 33, Berlin

Ich wohne seit fünf Jahren in Berlin und esse meistens einmal pro Woche Currywurst mit Pommes. Meine Kollegen und ich gehen nämlich jeden Mittwoch zum „Currybus". Der steht  dann immer vor dem Büro und wir kaufen Currywurst mit Pommes rot-weiß, also mit Ketchup und Mayo. Das schmeckt super – und ist billig! Currywurst gibt es natürlich in ganz Deutschland, aber in Berlin schmeckt sie besonders gut – und natürlich im Ruhrgebiet!

Marie, 18, Hamburg

Ich wohne in Hamburg, aber meine Mutter kommt aus Schwaben in Süddeutschland – und die Schwaben sind berühmt für ihre Spätzle. Spätzle sind ähnlich wie Nudeln. Meine Mutter macht sie  selbst, fast jedes Wochenende. Sie braucht für Spätzle nur Eier, Mehl, Wasser und Salz … und natürlich etwas Zeit. Käsespätzle mit Salat mag ich besonders gern, aber Spätzle mit Fleisch und Soße sind auch lecker.

Alexander, 25, Innsbruck

Ich esse sehr gern Kaiser-schmarrn, besonders im Winter. Das ist so lecker! Meine Oma macht den Kaiserschmarrn perfekt! Wir essen ihn bei allen Festen und manchmal auch am Sonntag. Für  Kaiserschmarrn brauche ich Mehl, Milch, Eier und Zucker und natürlich auch ein Früchtekompott – das ist so ähnlich wie Marmelade. Der Kaiserschmarrn ist ähnlich wie Pfannkuchen.

Michaela, 28, Zürich

Ich esse an meinem Geburtstag immer Zürcher Geschnetzeltes – im Restaurant oder ich koche es selbst. Für Zürcher Geschnetzeltes brauche ich Fleisch, Zwiebeln, Sahne und Wein – und  meistens auch Champignons. Die Soße schmeckt super und zusammen mit Rösti noch besser. Es ist ein Gericht aus Kartoffeln und passt perfekt zum Geschnetzelten!

d Arbeiten Sie zu zweit. Jede/r wählt zwei Texte. Was sagen die Leute? Machen Sie Notizen und berichten Sie Ihrem Partner / Ihrer Partnerin.

e Was isst man in Ihrem Land / Ihrer Region? Bringen Sie Fotos von einem typischen Gericht mit und berichten Sie: Was brauchen Sie für das Gericht? Wann essen Sie das?

> *Das Gericht heißt … Ich brauche für … Fleisch, Tomaten und Paprika. Ich esse das am Wochenende.*

Arbeitsalltag

A

B

1 a Was macht Adnan auf den Fotos? Beschreiben Sie.

bring the child to kindergarden

| das Kind in den Kindergarten bringen |

to take a package

| ein Paket annehmen |

to help buying a ticket

| beim Ticketkauf helfen |

| einen Kaffee mitnehmen |

Grab a coffee to go

| eine Kollegin grüßen |

To greet a colleague

🔊 **b** Hören Sie die Gespräche und ordnen Sie sie den Fotos zu.
2.1-5

🔊 **c** Hören Sie zwei Gespräche noch einmal und bringen Sie sie in die richtige Reihenfolge.
2.1-2

Gespräch 1

_____ ○ Hier bitte. Haben Sie keinen Zucker?

_1_ ● Guten Morgen.

_____ ● Groß oder klein?

_____ ● Doch. Hier steht er.

_____ ○ Morgen! Einen Kaffee zum Mitnehmen, bitte.

_____ ○ Groß.

_____ ● Alles klar. Das macht dann 3,60 €.

_____ ○ Ah, danke.

Gespräch 2

_____ ● Klar, wir haben einen Termin bei der Firma Pohl.

_1_ ● Morgen, Adnan.

_____ ○ Super!

_____ ○ Hallo Laura. Wie geht's?

_____ ○ Ja, stimmt. Um drei. Dann bis später!

_____ ● Bis dann, ich hole dich ab.

_____ ○ Auch alles gut. Sehen wir uns später?

_____ ● Danke, gut. Und dir?

d Spielen Sie die Dialoge zu zweit.

e Ihr Morgen. Was machen Sie? Wen treffen Sie?

Am Morgen gehe ich einkaufen. Manchmal treffe ich eine Nachbarin. Dann …

Um sieben Uhr …

Lauras Praktikum

2 a Lesen Sie den Blog von Laura. Welche Bilder passen?

 A

 B

 C

10.6. – 21:32   *Internship*

Mein Praktikum in Köln ☒

und – and
oder – or
aber – but
als – than

Endlich bin ich in Köln und mache hier ein Praktikum! Das Leben ist ganz anders als in Sevilla … das Wetter auch! ☺ Die Firma ist klein, aber es ist immer viel los. Ich muss schon um halb acht da sein – das ist nicht leicht für mich! Um zehn trinken meine Kollegen und ich zusammen Kaffee oder ich mache allein Pause. Das ist auch schön!
Am Vormittag haben wir oft Besprechungen. Die Besprechungen sind interessant und meistens *sometimes* auch lustig. Meine Chefin und meine Kollegen sind sehr nett und erklären viel, aber manchmal haben sie keine Zeit für meine Fragen. Ich muss oft fragen „Was bedeutet das?" oder „Wie mache ich das?". Ich kann schon viel allein machen, aber leider noch nicht alles und ich mache auch Fehler.
Ich telefoniere mit Kunden oder arbeite am Computer. Die Computerarbeit finde ich nicht so toll, aber ich telefoniere gern.
Meine Chefin nimmt mich auch zu Kunden mit. Das finde ich super und da lerne ich viel.
Am Wochenende gehe ich zum Club Español. Dort sprechen wir Deutsch und Spanisch.
Die Leute sind supernett. Wir sehen zusammen Filme, singen Lieder oder kochen zusammen.
Ich möchte noch ganz lang hier in Köln bleiben!

b Lesen Sie den Blog noch einmal. Was macht Laura gern, was nicht so gern?

früh aufstehen | telefonieren | mit Kollegen Kaffee trinken |
mit der Chefin Kunden besuchen | am Computer arbeiten |
allein Pause machen

Laura telefoniert gern.

c Lesen Sie die Regel und verbinden Sie die Sätze.

1. Die Firma ist klein.
   Es ist immer viel los.
2. Die Kollegen sind nett.
   Sie sind lustig.
3. Laura trinkt mit Kollegen Kaffee.
   Sie macht allein Pause.
4. Mittags isst sie ein Sandwich.
   Sie trinkt Apfelschorle.
5. Am Abend lernt Laura Deutsch.
   Sie trifft Freunde aus Spanien.
6. Adnan geht heute früh.
   Morgen bleibt er lang.

G

Sätze verbinden: *und, oder, aber*

Ich bin in Köln.	**+**	Ich mache ein Praktikum
Ich bin in Köln	**und**	(ich) mache ein Praktiku
Ich telefoniere	**oder**	(ich) arbeite am Comput
Die Firma ist klein,	**aber**	sie hat viele Kunden.

Customers

d Schreiben Sie über Ihren Alltag oder Ihre Arbeit und verwenden Sie *und, oder, aber*.

Kollegen/Freunde?   Aktivitäten?   Essen?   Pause?

Mit wem muss ich sprechen?

3 a **Laura hat viele Fragen. Hören Sie das Gespräch. Über welche Themen spricht Laura? Kreuzen Sie an.**

2.6

☐ 1. Urlaub ☐ 3. Arbeitszeit ☐ 5. Geburtstag
☐ 2. Abendessen ☐ 4. Kundenbesuch ☐ 6. Sommerfest

b **Hören Sie das Gespräch noch einmal und ergänzen Sie.**

1. Laura möchte einen Tag frei. Sie muss mit der _____ sprechen.

2. Sie fährt mit einem Freund und einer Freundin zu einem _____.

3. Am Dienstag möchte sie schon um _____ Uhr nach Hause gehen.

4. Laura und Adnan fahren mit der U-Bahn und dem Taxi zu der _____.

5. Sie sprechen dort mit dem Chef. Er ist sehr _____.

6. Laura möchte mit den Mitarbeitern ihren _____ feiern.

c **Markieren Sie die Artikel im Dativ in 3b und ergänzen Sie die Regel.**

> **G**
>
> **Dativ**
>
> der/ein Freund   mit **dem** / _____ Freund
>
> das/ein Taxi   mit _____ / **einem** Taxi
>
> die/eine Freundin   mit **der** / _____ Freundin
>
> die/– Mitarbeiter   mit _____ / _____**–**_____ Mitarbeiter**n**
>
> Im Dativ Plural haben die meisten Nomen ein -*n*.

> **G**
>
> *mit* + Dativ
>
> **Mit** wem fährt Laura?
> Sie fährt **mit** einem Freund und
> einer Freundin.

d **Mit wem machen Sie das? Spielen Sie zu zweit. Würfeln Sie zwei Mal und bilden Sie Sätze.**

⚀	⚁	⚂	⚃	⚄	⚅
telefonieren	Sport machen	Tee trinken	sprechen	Deutsch lernen	arbeiten
die Kollegin	das Mädchen	der Mann	eine Freundin	ein Kind	ein Freund

Beispiel: ⚃ und ⚁   *Ich spreche mit dem Mädchen.*

4 a **s und sch. Was hören Sie? Kreuzen Sie an.**

2.7

1. ☐ s ☐ sch   2. ☐ s ☐ sch   3. ☐ s ☐ sch   4. ☐ s ☐ sch

b **Hören Sie noch einmal und sprechen Sie nach. Notieren Sie dann die Wörter.**

c **Aussprache *st*. Was hören Sie: *st* oder *scht*? Kreuzen Sie an. Wie ist die Regel?**

2.8

▶ P2

1. Fest ☐ st ☐ scht   4. Start ☐ st ☐ scht   7. Obst ☐ st ☐ scht   10. stimmen ☐ st ☐ scht
2. Dienstag ☐ st ☐ scht   5. meistens ☐ st ☐ scht   8. vorstellen ☐ st ☐ scht   11. lustig ☐ st ☐ scht
3. stehen ☐ st ☐ scht   6. Stress ☐ st ☐ scht   9. Frühstück ☐ st ☐ scht   12. Durst ☐ st ☐ scht

Regel: • am Wortanfang (*Start*) oder am Silbenanfang (*Frühstück*): st ☐ scht ☐
• am Wortende (*Fest*) oder im Wortinneren (*lustig*): st ☐ scht ☐

Wohin gehst du?

5 a **Ein Arbeitstag wie immer. Hören Sie das Gespräch. Was passt? Markieren Sie.**

2.9

1. Tom und Julia sind Kollegen / keine Kollegen.
2. Sie sind auf dem Weg nach Hause / zur Arbeit.
3. Sie sprechen über ihren Arbeitstag / ihr Wochenende.

b **Hören Sie noch einmal. Kreuzen Sie an: richtig oder falsch? Korrigieren Sie die falschen Sätze.**

	richtig	falsch
1. Heute Vormittag hat Tom keinen Stress.	☐	☐
2. Tom muss am Nachmittag zur Bank gehen.	☐	☐
3. Der Termin in der Bank dauert zwei Stunden.	☐	☐
4. Julia muss zur Post gehen.	☐	☐
5. Um 14 Uhr muss Julia beim Chef sein.	☐	☐
6. Sie muss einen Bericht schreiben.	☐	☐

▶ 16 **c** **Lesen Sie. Welcher Satz passt zu welchem Bild? Ordnen Sie zu.**

Wohin?   **Wo?**   **Woher?**

A ☐

C ☐

E ☐

B ☐

D ☐

F ☐

1. Am Nachmittag geht Julia zum Chef.
2. Tom kommt aus der Bank und trifft Julia. So ein Zufall!
3. Um 15 Uhr ist Julia beim Chef. Der Termin ist wichtig.
4. Tom geht heute schon um 9 Uhr zur Bank.
5. Das Gespräch in der Bank dauert eine Stunde.
6. Julia kommt vom Chef und trifft Tom.

d **Markieren Sie die Präpositionen und Artikel in den Sätzen in 5c und ergänzen Sie die Regel.**

G

Ortsangaben: Präpositionen mit Dativ

Wohin?	zu	Sie geht _zum_ Chef / _____ Bank.
Wo?	bei	Sie ist _____ Chef / **bei der** Chefin.
Woher?	aus	Er kommt **aus dem** Haus / _____ Bank.
	von	Sie kommt _____ Chef / **von der** Chefin.

in + Dativ

Wo?
Er ist **im** Haus / **in der** Bank.

!

Kurzformen
zu + der → zur
zu + dem → zum
bei + dem → beim
von + dem → vom
in + dem → im

e **Mein Tag. Schreiben Sie Sätze. Beginnen Sie mit den markierten Wörtern.**

1. sein / bei / der Zahnarzt / <u>heute Vormittag</u> / ich / .
2. fahren / zu / das Büro / <u>dann</u> / ich / .
3. <u>dort</u> / ich / zu / die Chefin / gehen / gleich.
4. ich / <u>um 17 Uhr</u> / aus / die Firma / kommen / .
5. zu / Freunde / <u>am Abend</u> / ich / fahren / .
6. zusammen / <u>wir</u> / in / das Restaurant / essen / .

f **Gehen Sie durch den Kursraum. Fragen und antworten Sie.**

der Supermarkt | die Ärztin | der Zahnarzt | die Chefin | das Rathaus | die Schule | die Lehrerin | die Bank | das Geschäft | die Bäckerei | die Post | der Hausmeister | das Theater | das Kino | …

Wohin gehst du?

Wo warst du?

Woher kommst du?

Ich gehe zum Supermarkt.

Ich war beim Arzt.

Ich komme aus dem Büro.

6 a **Im Büro. Was passt wo? Ordnen Sie zu.**

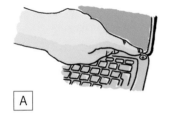

A

B

C

D

E

F

2.10

Gut gesagt: Probleme mit Medien
Ich habe kein Netz.
Das WLAN ist so langsam.
Ich bin seit Tagen offline.
Mist, mein Akku ist leer.

1. _____ den Computer hochfahren
2. _____ die Datei öffnen
3. _____ das Passwort eingeben
4. _____ den Drucker anmachen/ ausmachen
5. _____ die Datei speichern
6. _____ den Text drucken

17 **b** **Was muss Tom zuerst machen, was dann? Sprechen Sie zu zweit.**

Tom, kannst du bitte den Text schreiben?

Und kannst du ihn dann auch drucken?

zuerst – dann
Zuerst fährt er den Computer hoch.
Dann öffnet er die Datei.

c **Was machen Sie oft am Computer? Nennen Sie drei Aktivitäten.**

Ich schreibe und schicke E-Mails.

Club Español

7 a **Treffen im Club. Lesen Sie den Brief. Was machen die Mitglieder zusammen? Sammeln Sie im Kurs.**

1. _____

2. _____

3. _____

4. _____

5. _____

6. _____

7. _____

8. _____

> *Club Español – Severinstraße 35 – 50769 Köln*
> *www.espanolclub.de – info@espanolclub.de*
>
> Laura Perez García
> Bonner Str. 112
> 50667 Köln
>
> 15. Mai 20…
>
> **Informationen zum Programm und Einladung zum Jahrestreffen**
>
> Liebe Frau Perez García,
>
> herzlich willkommen im Club Español! Sie möchten Deutsch und Spanisch spre-
> chen und Leute aus der ganzen Welt kennenlernen? Dann sind Sie bei uns richtig!
> Unsere Treffen sind immer samstags im „Kulturcafé" in der Severinstraße. Wir
> diskutieren auf Deutsch oder Spanisch über aktuelle Themen. Gern können Sie
> auch eine kurze Präsentation zu einem Thema machen. Am Abend zeigen wir
> einen Film aus Spanien oder Südamerika oder wir kochen etwas zusammen.
> Hier noch eine Information: Unser Jahrestreffen ist am 25. Juni im Stadtpark
> Köln. Es gibt internationale Spezialitäten, Spiele für Kinder und Erwachsene und
> ab 21 Uhr spielt eine deutsch-argentinische Musikgruppe.
>
> Viele Grüße und bis bald
>
> *Christiane Arends*

b **Welche Kontakte zu Ihrer Sprache oder zu Deutsch gibt es in Ihrer Stadt? Recherchieren und berichten Sie.**

Wir haben ein Sprachinstitut für Französisch. Dort zeigen sie manchmal Filme und sie haben eine Bibliothek.

8 a **Briefstandards. Wo steht was im Brief in 7a? Ordnen Sie zu.**

Anrede | Adresse | Betreff | Absender | Gruß | Datum | Empfänger | Unterschrift

b **Formelle Briefe und E-Mails. Was passt wo? Notieren Sie.**

Mit freundlichen Grüßen   Liebe Frau …, / Lieber Herr …,
Sehr geehrter Herr …, / Sehr geehrte Frau …,   Viele Grüße
Sehr geehrte Damen und Herren,

Anrede:
Gruß:

> **!**
> **Briefe schreiben**
> Lernen Sie Anrede- und
> Grußformeln auswendig.
> Sie brauchen sie in allen
> Briefen und E-Mails.

c **Sie möchten zum Jahrestreffen kommen. Ordnen Sie die Sätze und schreiben Sie einen kurzen Brief an Frau Arends. Denken Sie auch an die Anrede und den Gruß.**

____ Wo im Stadtpark ist das Fest?

____ Das klingt sehr interessant.

____ Kann ich etwas mitbringen?

_1_ vielen Dank für Ihren Brief.

____ Leider habe ich samstags keine Zeit.

____ Aber ich möchte gern zum Jahrestreffen kommen.

Small Talk im Büro

9 a Über welche Themen sprechen Sie mit Kollegen/Kolleginnen in der Mittagspause? Kreuzen Sie an und vergleichen Sie im Kurs.

☐ Arbeit   ☐ Wetter   ☐ Kollegen/Kolleginnen   ☐ Wochenende
☐ Sport   ☐ Politik   ☐ Religion   ☐ Krankheiten
☐ Filme/Serien   ☐ Geld   ☐ Familie   ☐ _____

🔊
2.11

b Hören Sie drei Gespräche. Über welche Themen aus 9a sprechen die Leute?

c Lesen Sie den Text. Welche Themen sind gut für Small Talk, welche nicht? Notieren Sie.

Small Talk im Büro ☒

Jeder kennt die Situation: Man trifft Kolleginnen oder Kollegen im Bus oder im Aufzug und muss schnell ein Gesprächsthema finden. Das ist gar nicht so schwer.

Ein Thema ist immer sehr beliebt: das Wetter. Finden Sie das langweilig? Ja, vielleicht, aber über das Wetter kann man immer reden. Sie können über Ihre Pläne für das Wochenende oder über Ihren Urlaub sprechen.

War gestern ein Fußballspiel im Fernsehen interessant? Vielleicht interessiert das auch die anderen. Fragen Sie! Waren Sie gestern im Kino? Erzählen Sie vom Film. Das ist neutral und alle können etwas dazu sagen.

Auch Kinder können ein gutes Thema sein. Fragen Sie „Wie geht es den Kindern?" oder „Ist Ihre Tochter / Ihr Sohn schon in der Schule?". Aber formulieren Sie die Fragen zur Familie nicht zu persönlich. Politik, Religion, Geld und Krankheiten sind keine Themen für Small Talk. Sprechen Sie auch nicht über andere Kollegen. Das mögen die meisten Leute nicht.

Themen für Small Talk:

keine Themen für Small Talk:

d Lesen Sie die Sätze. Zu welchem Thema passen sie? Ordnen Sie zu.

A Wetter: _____
B Wochenende: _____
C Sport: _____
D Familie: _____

1. Heute ist es wieder heiß.
2. Sehen Sie auch das Fußballspiel heute Abend?
3. Und wie war Ihr Wochenende?
4. Mögen Sie eigentlich Sport?
5. Wie geht es Ihren Eltern/Kindern/...?
6. Ach, jetzt regnet es schon wieder. Das ist schrecklich, oder?
7. Endlich Freitag! Und was machen Sie am Wochenende?
8. Wie alt sind Ihre Kinder?

e Spielen Sie kurze Small Talk-Situationen. Gehen Sie durch den Kursraum und sprechen Sie mit drei Personen.

Sehen Sie auch das Fußballspiel heute Abend?

Ach, ich mag Fußball nicht so gerne. Ich mag Tennis.

Ah, Tennis ist auch interessant. Ich finde ...

Die Netzwerk-WG

10 a *Was für ein Stress!* Sehen Sie das Foto an. Was denken Sie? Was ist los? Wie geht es Anna?

▶ 16 **b** **Sehen Sie Szene 16. Was muss Anna machen? Ordnen Sie die Fotos in die richtige Reihenfolge und erzählen Sie im Kurs.**

 A ☐
 C ☐
 E ☐
 G ☐

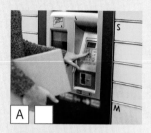 B ☐
 D ☐
 F ☐

zur Bank gehen | zur Post gehen | zum Bahnhof fahren und Oma abholen | ins Kino gehen | mit Oma Kaffee trinken | im Fitness-Studio trainieren | mit dem Chef sprechen

Zuerst muss Anna … Dann …

▶ 17 **11 a** *Kannst du das bitte drucken?* **Sehen Sie Szene 17. Ergänzen Sie das Gespräch.**

Freut mich | Kein Problem | Guten Tag | einen Drucker | Hallo | das ist | Kinotickets

Anna   Hi Max, (1) _____ meine Oma, Inge Blank.

Max   (2) _____, Frau Blank. (3) _____!

Oma   (4) _____ Max!

Anna   Du, Max, du hast doch (5) _____ …

Max   Ja, klar. Was musst du ausdrucken?

Anna   Nur zwei (6) _____. Oma und ich gehen heute Abend ins Kino.

Max   (7) _____ – das mache ich schnell!

b **Was ist richtig? Markieren Sie.**

Anna und ihre Oma wollen (1) zu zweit / mit Max ins Kino gehen.
Max muss die Datei (2) runterladen, öffnen und drucken / öffnen und speichern. Der Drucker ist (3) an / aus, Max kann die Datei (4) ausdrucken / nicht ausdrucken. Max ist (5) sauer / cool. Die Oma hat (6) eine Idee / ein Problem: Sie macht (7) den Drucker / den Computer aus und wieder an.

eine Reihenfolge beschreiben
Zuerst fährt Tom den Computer hoch. **Dann** öffnet er die Datei.

Briefstandards

Anrede
Liebe Frau …, / Lieber Herr …,
Sehr geehrte Frau …, / Sehr geehrter Herr …,

Grüße
Viele Grüße
Mit freundlichen Grüßen

Small Talk machen

über das Wetter sprechen: Heute ist es wieder heiß.
Ach, jetzt regnet es schon wieder. Das ist schrecklich, oder?

über Sport sprechen: Mögen Sie auch Sport?
Sehen Sie auch das Fußballspiel heute Abend?

über die Familie sprechen: Wie geht es Ihren Eltern/Kindern/…?
Wie alt sind Ihre Kinder?

über das Wochenende sprechen: Und wie war Ihr Wochenende?
Endlich Freitag! Und was machen Sie am Wochenende?

Antworten auf Ja-/Nein-Fragen

Hast du einen Termin?	Ja.	Nein.
Hast du **keinen** Termin?	Doch.	Nein.
Kommst du **nicht** mit?	Doch.	Nein.

Sätze verbinden: *und, oder, aber*

Satz 1				Satz 2		
Ich	bin	in Köln.	**+**	Ich	mache	ein Praktikum.
Ich	bin	in Köln.	**und**	(ich)	mache	ein Praktikum.
Ich	telefoniere		**oder**	(ich)	arbeite	am Computer.
Die Firma	ist	klein,	**aber**	sie	hat	viele Kunden.

Dativ: bestimmter und unbestimmter Artikel

der/ein Freund	mit **dem/einem** Freund
das/ein Taxi	mit **dem/einem** Taxi
die/eine Freundin	mit **der/einer** Freundin
die/– Mitarbeiter	mit **den**/– Mitarbeiter**n**

Im Dativ Plural haben die meisten Nomen ein *-n*.

Präposition *mit* **+ Dativ**

Mit wem fährt Laura?
Sie fährt **mit** einem Freund
und einer Freundin.

Ortsangaben: Präpositionen mit Dativ

Wohin?	zu	Sie geht **zum** Chef / **zur** Bank.
Wo?	bei	Sie ist **beim** Chef / **bei der** Chefin.
Woher?	aus	Er kommt **aus dem** Haus / **aus der** Bank.
	von	Sie kommt **vom** Chef / **von der** Chefin.

Kurzformen

zu + der → zur
zu + dem → zum
bei + dem → beim
von + dem → vom

in **+ Dativ**

Wo?	Er ist **im** Haus.	in + dem → im
	Er ist **in der** Bank.	

Fit und gesund

A 5

B 4

C d

10.04.
Lecker: Frühstück 😊! Ich habe
Hunger!!! Mittags esse ich nur
Salat und am Abend eine Suppe.
Da bin ich morgens richtig
hungrig.

3

31.03.
Morgen geht's los! Acht Wochen
gesund leben: 3-mal täglich essen
und viel trinken. Schaffe ich das???
Zwei Monate sind laaang. Alle
Süßigkeiten (Schokolade …) gebe
ich jetzt Nadine 😟. Sie ist meine
Nachbarin und ihre Kinder
finden es super!

1

02.04.
Uff, es ist so früh: Joggen um halb
sieben! Egal: Ich mache regel-   *Regularly*
mäßig Sport: 5-mal die Woche. Ich
jogge oder gehe ins Fitness-Studio.
Dann dusche ich und bin fit für
den Tag …

2

1 a **Gesund leben. Was kann man machen? Sammeln Sie.**

Viel Obst essen.

b **Annika Jansen macht für zwei Monate ein Experiment. Beschreiben Sie die Bilder. Was macht Annika?**

Foto C: Annika räumt Schokolade und Chips weg.

c **Lesen Sie Annikas Kommentare. Welches Foto passt? Notieren Sie.**

8

E 3

D 6

F 2

10.05.
to wait
Haha, ihr wartet auf die Straßenbahn … Ich habe mein Fahrrad.
😆 Heute bin ich sicher die Erste
im Büro …   *Surely*   5

30.04.
Abends bin ich müde und gehe
jetzt früh ins Bett. Vielleicht ist
das langweilig, aber ich muss früh
aufstehen. Und: Ich kann super
schlafen. 😴   *I can great*
sleep   4

31.05.
Hurra, fertig! Endlich kann ich in
der Freizeit wieder faul sein und
Schokolade essen! 😋 *lazy*   6

🔊 **2 a Hören Sie die Sprachnachrichten. Was sagen die Personen zum Experiment? Kreuzen Sie an.**

2.12–14

Thomas

Ich finde das Experiment ☐ gesund ☐ interessant.
Die Freunde ☐ vermissen ☐ vergessen Annika.

Claire

Das Experiment ist ☐ super ☐ nicht gut.
Sport ist ☐ wichtig ☐ langweilig.

Mutter

Annika isst gerade ☐ zu wenig ☐ zu viel.
Das Experiment ist ☐ sehr gut ☐ gefährlich.

b Wie finden Sie das Experiment? Möchten Sie so etwas auch machen?

Ich finde das Experiment …

Die Fitness-App

bleib zu Hause (handwritten)

3 a Leon will *sportlich* ~~Athletic~~ sein. Lesen Sie den Comic. Was muss Leon tun?

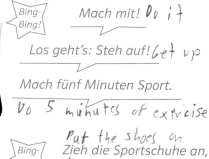

A

B

Bing-Bing! Mach mit! *Do it* (handwritten)

Los geht's: Steh auf! *Get up* (handwritten)

Mach fünf Minuten Sport. *Do 5 minutes of exercise* (handwritten)

Put the shoes on (handwritten)
Bing-Bing! Zieh die Sportschuhe an, *Get up and* geh raus und lauf! *run* (handwritten)

Eat a salad (handwritten)
Bing-Bing! Iss einen Salat!

Keep going   Give All (handwritten)
Sehr gut! Mach weiter so! Gib alles!!!

C

Hol ein Glas Wasser!
Trink mindestens 2 Liter!
Trinken ist gesund. *Drinking is good* (handwritten)

D

Geh früh ins Bett! *Go to bed early* (handwritten)

b Markieren Sie in 3a die Verben im Imperativ. Wie bildet man den Imperativ?

G

Imperativ mit *du*

~~du~~ machst	→	**Mach** Sport!
~~du~~ stehst auf	→	**Steh** auf!
~~du~~ läufst	→	**Lauf!**
! ~~du~~ bist	→	**Sei** aktiv!

c Spielen Sie zu zweit „Fitness-App". Formulieren Sie Aufforderungen.

stehe auf (handwritten)
sein aktiv (handwritten)

aufstehen | *machen mit* mitmachen | Wasser holen | trinken |
aktiv sein | schnell laufen | rausgehen | Salat essen | …
laufen schnell (handwritten)

d Was passiert? Lesen Sie und sprechen Sie im Kurs.

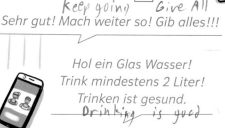

Ach, Apps … Gehen Sie ins Fitness-Studio! Machen Sie dort Sport.

Los geht's: Steht auf! Seid aktiv.

Ja, super, macht weiter so!

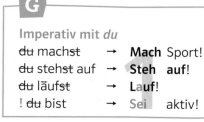

Oh nein! Seien Sie bitte ruhig!

e Markieren Sie die Verben im Imperativ in 3d und ergänzen Sie die Regel.

G

Imperativ mit *ihr* und *Sie*

~~ihr~~ macht weiter	→	_macht_ weiter!	Sie machen	→	_machen_ _Sie_ Sport!
~~ihr~~ steht auf	→	_steht_ auf!	Sie stehen auf	→	Stehen Sie auf!
~~ihr~~ seid	→	_seid_ aktiv!	! Sie sind	→	_____ ruhig!

▶ 18–20 **4** Notieren Sie drei Aufforderungen für Ihren Kurs und lesen Sie vor.

Fenster aufmachen | Pause machen | leise sein | an die Tafel kommen | Sätze aufschreiben | den Text vorlesen | Hausaufgaben machen | pünktlich sein | Wörter lernen | Grammatik wiederholen | …

Im Fitness-Studio

5 a **Hören Sie das Gespräch und ordnen Sie die Antworten zu.**

2.15

1. Wie alt bist du? _____

2. Wie groß bist du? _____

3. Wie viel wiegst du? _____

A 73 Kilo.

B Ich bin jetzt 27.

C 1,75 m.

> **!**
>
> **Maße sprechen**
> 1,75 m = ein Meter 75
> Ich bin eins fünfundsiebzig (groß).

b **Was glauben Sie: Wie alt, wie groß und wie schwer sind die Personen? Notieren Sie und sprechen Sie zu zweit.**

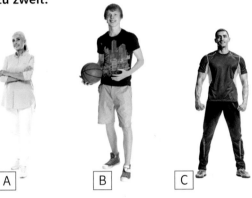

Foto	A	B	C
Alter			
Größe			
Gewicht			

Ich glaube, der Mann auf Foto B wiegt …

6 a **Der Körper. Ordnen Sie die Wörter zu. Die englischen Wörter können helfen.**

das Knie | der Hals | der Rücken | der Fuß | der Bauch | der Arm | die Hand | der Finger | das Bein | der Kopf

1. der Hals

2. der Arm
arm

3. Die Hand
hand

4. das Bein

5. der Bauch

6. der Rücken

7. der Finger
finger

8. der Kopf

9. das Knie
knee

10. der Fuß
foot

b **Arbeiten Sie zu zweit. A nennt einen Körperteil mit Artikel, B zeigt auf den Körperteil. Wechseln Sie dann.**

7 a **p oder b, t oder d, k oder g? Was hören Sie? Kreuzen Sie an.**

2.16

1. ⓐ Fitness-Studio Pause in Puchheim

2. ⓐ Sportclub Tegel in Dorfen

3. ⓐ Fitness-Studio Karo in Kösnitz

ⓑ Fitness-Studio Bause in Buchheim

ⓑ Sportclub Degel in Torfen

ⓑ Fitness-Studio Garo in Gösnitz

b **Hören Sie und sprechen Sie nach.**

2.17

Der Unfall ~Accident

8 a   **Sehen Sie die Fotos an. Ordnen Sie die Sätze zu.**

 A [2]   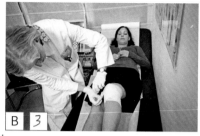 B [3]    C [1]

Perscription
1. Frau Pohn bekommt ein <u>Rezept</u> für eine <u>Salbe</u>. *ointment*
2. Frau Pohn hatte einen Unfall. Ihr Knie ist <u>verletzt</u>. *injured*
3. Frau Doktor Klimke macht einen <u>Verband</u>.
                  Bandage

b   **Ordnen Sie das Gespräch. Hören Sie dann und kontrollieren Sie.**

2.18

whats up
1. Was ist los, Frau Pohn? __D__

2. Legen Sie sich da hin, bitte. Tut das weh? __C__

I must clean the wound
3. Ich muss die Wunde sauber machen.

   Dann mache ich einen Verband. __E__

              Move the
4. Immer morgens und abends. Bewegen Sie
   leg a little
   das Bein nur wenig. Ich gebe Ihnen auch ein

   Rezept für eine Salbe. __A__

5. Nein, aber bei Problemen kommen Sie bitte gleich.

   Auf Wiedersehen und gute Besserung! __B__

A Dann gehe ich gleich zur Apotheke
   und hole die Salbe. Muss ich noch *Do I need*
   einmal zur Kontrolle kommen? *to come back*
B Vielen Dank. Auf Wiedersehen.
C Ja, ein bisschen. – Aua!
D Ich hatte einen Unfall mit dem Fahrrad.
   Mein Knie tut weh. *My knee hurts*
E Wann muss ich den Verband wechseln?
                 to change

2.19

Gut gesagt: Das tut weh!
Au!   Autsch!   *Aua*
Aua!   Ahh!

c   **Nach dem Arztbesuch. Frau Pohn berichtet. Was ist richtig? Kreuzen Sie an.**

☑ 1. Ich soll jeden Morgen den Verband wechseln.
☒ 2. Ich soll viel schlafen.
☑ 3. Ich soll das Bein nur wenig bewegen.
☑ 4. Ich soll bei Problemen <u>sofort</u> kommen.
☒ 5. Ich soll viel Tee trinken.   *Immediately*

G

sollen
Die Ärztin sagt:
„Wechseln Sie den Verband!"
Frau Pohn erzählt:
„Ich **soll** den Verband **wechseln**."

9   **Ich bin so krank! Arbeiten Sie zu zweit. Was sagt die Frau, was sagt der Mann?**

Brot kaufen |
aufstehen |
das Mittagessen kochen |
die Kinder abholen |
deine Mutter anrufen |
das Auto waschen |

Kauf bitte Brot!

zu Hause bleiben |
viel schlafen |
nicht Auto fahren |
nicht arbeiten |
den Arm nicht bewegen |
nicht so viel sprechen

Ich soll zu Hause bleiben.

Beim Arzt

10 a **Wer sagt was? Ordnen Sie die Aussagen zu.**

1. Ich bin total erkältet und krank.
2. Ich kann den Arm nicht bewegen.
3. Mein Arm tut sehr weh.
4. Mir ist so schlecht.
5. Ich habe Bauchschmerzen.
6. Ich muss immer husten und
   habe Fieber.   *cough*

A _____   B _____   C _3_

2.20-22

b **Was müssen die Patienten tun? Was dürfen sie (nicht) tun? Lesen Sie die Aussagen und hören Sie die Gespräche. Ordnen Sie dann die Aussagen den Bildern in 10a zu.**

1. Essen Sie heute nichts. _A_
2. Sie müssen ins Krankenhaus gehen. _C_
3. Rauchen Sie nicht! _B_
Cough syrup
4. Den Hustensaft müssen Sie abends nehmen. _B_
5. Sie dürfen kurz duschen, das geht. _B_   *shower*
6. Sie dürfen viel trinken. Tee ist gut. _A_   *wash hair*
Fever
7. Mit Fieber dürfen Sie nicht baden oder Ihre Haare waschen. _B_
8. Nehmen Sie zweimal täglich eine Tablette gegen die Schmerzen. _C_
9. Sie dürfen nicht arbeiten. Bleiben Sie zu Hause. _A_   *Pain*

G

müssen – nicht dürfen – dürfen

 ! Sie **müssen** im Bett bleiben.

 Sie **dürfen nicht** baden. Baden ist verboten.

 Sie **dürfen** duschen. Duschen ist erlaubt.

c **Welche Anweisungen gibt der Arzt? Schreiben Sie Sätze mit *müssen* oder *nicht dürfen*.**

1. Jonas (10 Jahre alt) hat Halsschmerzen.
   rausgehen, Tee trinken
2. Herr Schöpf hat Rückenschmerzen.
   joggen, Medikamente nehmen
3. Frau Fischer hat Kopfschmerzen.
   arbeiten, Tabletten nehmen

1. Du darfst nicht rausgehen. Du musst …

G

dürfen

ich	darf	wir	dürf**en**
du	darf**st**	ihr	dürf**t**
er/es/sie	darf	sie/Sie	dürf**en**

11 **Spielen Sie zu zweit Dialoge. Tauschen Sie dann die Rollen.**

R4

1. Sie haben seit drei Tagen Bauchschmerzen.   2. Sie haben Kopf- und Halsschmerzen, aber kein Fieber.

Wie geht es Ihnen? / Was tut Ihnen weh?   Ich bin krank. / Mir ist schlecht.

Wie geht es Ihnen? / Was tut Ihnen weh?
Haben Sie Schmerzen? / Haben Sie Fieber?
Ich schreibe/gebe Ihnen ein Rezept für
   Tabletten / eine Salbe / … Nehmen Sie
   die Tabletten morgens/abends.
Sie dürfen (nicht) … / Sie müssen …

Ich bin krank. / Mir ist schlecht.
Mein Kopf/Hals/… tut weh. / Meine Finger tun weh.
Ja, ich habe Kopfschmerzen/Halsschmerzen/
   Bauchschmerzen …
Wie lange muss ich im Bett / zu Hause bleiben?
Darf ich …? / Muss ich …?

Unsere Hausmittel

Homeremedy

12 a **Was hilft? Was vermuten Sie? Ordnen Sie zu.**

A — Zahnschmerzen haben
tooth ache.

B — nicht schlafen können
can not sleep

C — Schnupfen haben
sniffels

Der Mann kann nicht schlafen. Da hilft …

Hühnersuppe   Nelken   Milch mit Honig

b **Lesen Sie die Forumsbeiträge und die Tipps. Was passt zusammen? Notieren Sie die Namen.**

> ☒
>
> **flo@seattle** — Ich kann oft nicht einschlafen. Ich bin total müde, aber es geht nicht. Hat jemand einen Tipp? Ich will keine Schlaftabletten nehmen.
>
> **MimiWe** — Ich bin so oft erkältet und habe immer Schnupfen. Tee trinken, baden, Tabletten oder inhalieren: nichts hilft. Was gibt es noch?
>
> **Jack Jacket** — Hilfe, ich habe eine Bitte! Ich bin im Urlaub und habe Zahnschmerzen. Ich möchte nicht immer Tabletten nehmen! Gibt es ein gutes Hausmittel?

> ☒
>
> 1. @*JackJacket* — Versuch mal Nelken. Nimm eine Nelke (immer nur eine!) in den Mund, mindestens 10 Minuten lang. Das sagt auch meine Zahnärztin.
>
> 2. @*flo@seattle* — Steh früh auf. Dann bist du am Abend richtig müde. Und trink vor dem Schlafen eine Tasse heiße Milch mit Honig. Für mich ist das perfekt. Versuch es auch.
>
> 3. @*MimiWe* — Meine Oma sagt immer: Hühnersuppe hilft. Die Nase ist sofort wieder frei. Rezept für die Hühnersuppe: 1 halbes Suppenhuhn, 1 Zwiebel, Salz und Pfeffer. Koch die Suppe mindestens eine Stunde lang. Iss die Suppe heiß.

c **Was hilft? Beschreiben Sie ein Problem wie in 12b. Hängen Sie die Zettel auf und schreiben Sie Tipps dazu.**

> *Ich habe oft Kopfschmerzen. Was kann ich tun? Ich möchte nicht …*
>
> *Trink viel Wasser oder … Du musst … Du kannst auch …*

Berufe im Krankenhaus

13 a Lesen Sie die Aussagen und markieren Sie die Berufe. Schreiben Sie die Berufe zu den Fotos.

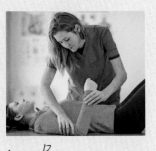

1. _____ C _____   2. _____ D _____   3. _____ A _____   4. _____ B _____

> *Emergency Doctor*
> Unfälle sind Stress. Aber ein <u>Notarzt</u> muss immer ruhig bleiben. Ich helfe bei einem Unfall sofort und bringe die Patienten ins Krankenhaus.
> **A**

> *Nurse*
> Ich arbeite gern mit Menschen. Mein Beruf ist <u>Krankenpfleger</u>. Ich helfe den Patienten beim Waschen, gebe Ihnen die Medikamente oder wechsle Verbände. Die Arbeit im Krankenhaus ist <u>anstrengend</u>, aber ich bin <u>glücklich</u>.
> **C**
> *Demanding*   *happy*

> *Athlete*
> Ich war <u>Sportlerin</u> und war auch oft verletzt. Da war Physiotherapie für mich immer wichtig. Jetzt bin ich selbst Physiotherapeutin und zeige meinen Patienten Übungen.
> **B**

> Ich bin Laborantin. Oft machen die Ärzte Tests. Im Labor <u>untersuchen</u> wir dann zum Beispiel das <u>Blut</u>. Die Ärzte bekommen dann das Ergebnis.
> **D**
> *Result*
> *test*

b Wörter verstehen. Lesen Sie die Strategien und Beispiele. Ergänzen Sie eigene Beispiele.

Beispiel	Ihr Beispiel
Krankenhaus? krank, Haus → ein Haus für kranke Menschen	
Notarzt? bei Unfällen helfen, Patienten ins Krankenhaus bringen	
Physiotherapeut? Physio|therapeut Therapeut – le/la thérapeute, therapist ...	
Krankenpfleger?	

!

Wörter erschließen

Wörter zerlegen (Komposita):
Welche Teile hat das Wort?
der Zahn – die Ärztin:
die Zahnärztin - Tooth doctor
der Bauch – die Schmerzen:
*die Bauchschmerzen—*Tummy ache
Das zweite Wort gibt den Artikel.

Kontext:
Wie ist die Situation? Welche Wörter gehören dazu?

Internationale Wörter:
Kennen Sie das Wort (oder Teile) aus anderen Sprachen?

Wort und Bild:
Gibt es ein Foto oder eine Zeichnung als Hilfe?

c Im Krankenhaus. Arbeiten Sie zu zweit und sammeln Sie Wörter aus 13a. Recherchieren Sie weitere wichtige Wörter und Ausdrücke und machen Sie ein Plakat.

Die Netzwerk-WG

14 a *Aua!* Sehen Sie die Fotos an. Vermuten Sie: Was ist Lucas Problem? Was macht Max? Sprechen Sie zu zweit.

b Was denken Sie? Wer sagt was? Notieren Sie *Luca* oder *Max*.

1. _Luca_ : Ja, gerne! Da unten ist eine Schokolade!

2. _Luca_ : Arghhhhhh!

3. _Max_ : Komm!

4. _Max_ : Was ist denn mit dir los?

5. _Max_ : Kann ich dir helfen?

6. _Max_ : Luca?

7. _Luca_ : Aua, mein Rücken tut so weh!

8. _Luca_ : Hallo Max, alles klar?

▶ 18 **c** Sehen Sie nun Szene 18 und ordnen Sie den Dialog.

2, 6 ....
Get this please

▶ 19 **15 a** *Hol bitte …!* Sehen Sie Szene 19. Was möchte Luca haben? Was müssen Max und Anna holen? Was muss Bea machen? Sprechen Sie zu zweit.

das Kissen   die Decke

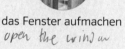
das Fenster aufmachen
open the window

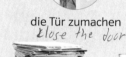
die Tür zumachen
close the door

Luca möchte … haben.   das apfel   Max holt …   das buch   die Zeitschriften   das wasser

b Sehen Sie die Szene noch einmal. Was hat Luca gesagt? Notieren Sie die Aufforderungen.

A   B   C

Ah, Max hol bitte
ein wasser glass, die dtee,
und das buch

Das Fenster aufmachen,
und die Tür zumachen,
und kissen und die Decke

Kissen, und die Decke

▶ 20 **16 a** *Der arme Luca.* Sehen Sie Szene 20. Was ist richtig? Kreuzen Sie an.

1. Die Freunde möchten Luca ☒ weiter helfen. ☐ nicht mehr helfen.
2. Luca geht es ☒ nicht sehr schlecht. ☐ sehr schlecht.
3. Luca ☒ bleibt auf dem Sofa. ☐ steht auf und geht zu seinen Freunden.
4. Luca ☒ versteht den Spaß. ☐ versteht den Spaß nicht.

b Arbeiten Sie zu viert. Verteilen Sie die Rollen und spielen Sie Szene 18–20.

Persönliche Angaben machen

Wie alt bist du?

Wie groß bist du?

Wie viel wiegst du?

Ich bin 27 Jahre alt. / Ich bin 27. / 27.

Ich bin ein Meter 75 (groß). / Ich bin eins
fünfundsiebzig (groß).

(Ich wiege) 73 Kilo. / Circa 73 Kilo. /
Das möchte ich nicht sagen.

Gespräche beim Arzt führen

Arzt/Ärztin

Wie geht es Ihnen? / Was tut Ihnen weh? /
Haben Sie Schmerzen? / Haben Sie Fieber?

Ich schreibe/gebe Ihnen ein Rezept für Tabletten /
für eine Salbe / …

Nehmen Sie die Tabletten vor dem Essen.

Sie dürfen nicht … / Sie müssen … / Sie dürfen …

Gute Besserung!

Patient/Patientin

Ich bin krank. / Mir ist schlecht.

Mein Kopf/Hals/… tut weh. / Meine Augen tun weh. /
Ich habe Kopfschmerzen/Halsschmerzen/
Bauchschmerzen …

Wie lange muss ich im Bett / zu Hause bleiben?

Darf ich …? / Muss ich …?

Anweisungen wiedergeben

Das sagt der Arzt / die Ärztin:

Trinken Sie viel!

Bewegen Sie das Bein wenig!

Das erzählt der Patient / die Patientin:

Der Arzt / Die Ärztin sagt, ich soll viel trinken.

Ich soll das Bein wenig bewegen.

Erlaubnis, Gebote und Verbote ausdrücken

Er/Sie darf …

Sie dürfen duschen.

Du darfst viel Tee trinken.

Er/Sie darf nicht …

Sie dürfen mit Fieber nicht baden.

Du darfst nicht zur Arbeit gehen.

Er/Sie muss …

Sie müssen im Bett bleiben.

Du musst zu Hause bleiben.

Imperativ mit *du, ihr, Sie*

	machen	**aufstehen**	**laufen**	**sein**
du	Mach!	Steh auf!	Lauf!	Sei sportlich!
ihr	Macht!	Steht auf!	Lauft!	Seid sportlich!
Sie	Machen Sie!	Stehen Sie auf!	Laufen Sie!	Seien Sie sportlich!

Verben mit *-ten* haben im Imperativ oft die Endung *-e*: War**te**! Arbei**te** nicht so viel!

Imperativsätze

Geh		früh ins Bett!
Macht		Sport!
Steht		auf!
Trink**en**	**Sie**	viel Wasser!

Position 1   Satzende

Modalverben: *dürfen, sollen*

	dürfen	**sollen**
ich	darf	soll
du	darfst	sollst
er/es/sie	darf	soll
wir	dürfen	sollen
ihr	dürft	sollt
sie/Sie	dürfen	sollen

Sie **dürfen** das **nicht** machen. Es ist verboten.

Meine Wohnung

das Bild

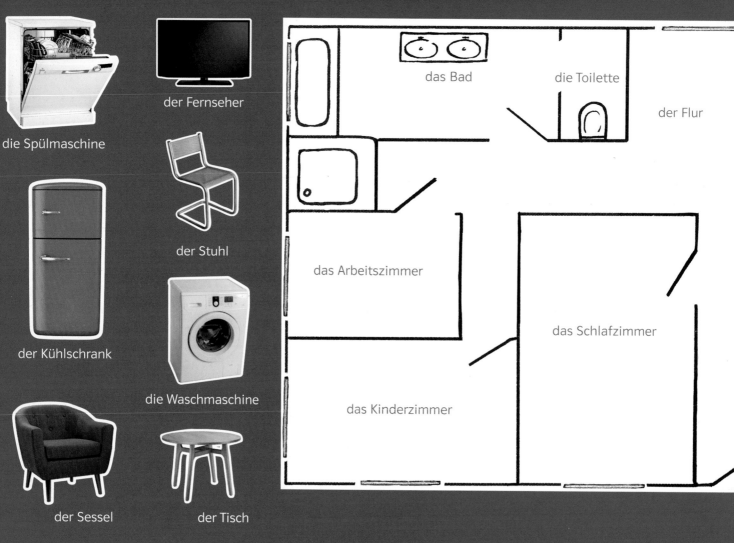

die Spülmaschine

der Fernseher

der Stuhl

der Kühlschrank

die Waschmaschine

der Sessel

der Tisch

das Bad

die Toilette

der Flur

das Arbeitszimmer

das Schlafzimmer

das Kinderzimmer

1 a **Möbel und Geräte. Wo steht was? Es gibt mehrere Möglichkeiten. Ordnen Sie zu und vergleichen Sie.**

Was ist in der Küche?

Der Herd und …

b **Sie ziehen in die Wohnung oben. Was brauchen Sie noch? Arbeiten Sie zu zweit und ergänzen Sie. Arbeiten Sie mit dem Wörterbuch.**

Pflanzen,

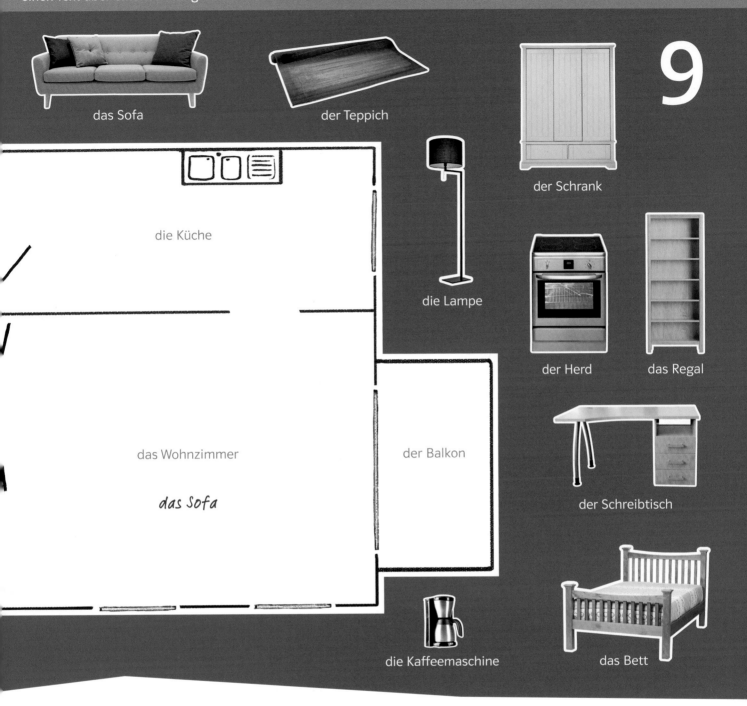

das Sofa

der Teppich

9

der Schrank

die Küche

die Lampe

der Herd

das Regal

das Wohnzimmer

das Sofa

der Balkon

der Schreibtisch

die Kaffeemaschine

das Bett

2 a **Lieblingsorte. Wo sind die Leute besonders gern in ihrer Wohnung? Hören Sie und notieren Sie.**

2.23

1. Eva Neumann, Journalistin: *Arbeitszimmer*

2. Jan Petersen, Lehrer: _____

3. Maike Barnes, Studentin: _____

4. Leo Babel, Informatiker: _____

▶ 21 **b** **Was ist Ihr Lieblingszimmer? Was machen Sie dort gern? Erzählen Sie.**

Mein Lieblingszimmer ist …

Die Wohnungssuche

3 a Carla und Alex suchen eine Wohnung. Lesen Sie die Nachricht. Markieren Sie alle wichtigen Informationen über die Wohnung.

> Hallo,
> wir möchten endlich zusammen wohnen! 😍 Wir suchen eine 3-Zimmer-Wohnung: Küche, Bad, Schlafzimmer, Wohnzimmer und ein Arbeitszimmer, ungefähr 80 qm für maximal 800 Euro und im Zentrum. Gerne mit Balkon oder Terrasse – ruhig und hell! Ruft uns an oder schreibt!
> Danke und viele Grüße von Carla und Alex

b Carla und Alex hängen auch einen Zettel im Supermarkt auf. Ergänzen Sie den Zettel.

Wir suchen eine Wohnung!

Zimmer: _3_

Größe: _____

Miete maximal: _____

Ort: _____

Wünsche: _Balkon,_____

Wir freuen uns auf Angebote: _Carla und Alex_____

Tel.: 0176-8944189
Tel.: 0176-8944189
Tel.: 0176-8944189
Tel.: 0176-8944189
Tel.: 0176-8944189
Tel.: 0176-8944189
Tel.: 0176-8944189

🔊 2.24

c Carla und Alex lesen Wohnungsanzeigen. Hören Sie das Gespräch. Über welche Wohnung sprechen sie? Ist die Wohnung passend für sie? Warum (nicht)?

> **G**
>
> *sein* + Adjektiv
> Die Wohnung ist **teuer**.
> Die Wohnung ist **nicht billig**.
> Die Wohnung ist **sehr teuer**.
> Die Wohnung ist **zu teuer**.

1. Ideal für Studenten: Apartment mit Dusche, Nähe Universität

410 Euro	**27 qm**	**1**
Miete	Wohnfläche	Zimmer

2. 3-Zimmer-Wohnung, schön, sehr ruhig, Terrasse, mit der S-Bahn nur 30 Minuten bis ins Zentrum

550 Euro	**79 qm**	**3**
Miete	Wohnfläche	Zimmer

3. Elegante Wohnung im Zentrum mit Balkon, 6. Stock mit Aufzug

950 Euro	**68 qm**	**3**
Miete	Wohnfläche	Zimmer

4. Helle Wohnung – super für junge Leute – im Zentrum, direkt an der Hauptstraße beim Bahnhof

800 Euro	**93 qm**	**3**
Miete	Wohnfläche	Zimmer

5. Wir vermieten: Wohnung mit Süd-Balkon, top renoviert, hell, zentral und ruhig

630 Euro	**81 qm**	**3**
Miete	Wohnfläche	Zimmer

d Lesen Sie die anderen Anzeigen noch einmal. Sprechen Sie über die Wohnungen. Welche Wohnung passt zu Carla und Alex?

ruhig ⟷ laut | klein ⟷ groß | hell ⟷ dunkel | teuer ⟷ günstig/billig | (nicht) zentral

Wohnung 1 ist zu klein und …

Die neue Wohnung

4 a **Alex und Carla haben eine neue Wohnung. Hören Sie das Gespräch. Was kommt wohin?**
Was möchte Alex? Was möchte Carla? Ergänzen Sie die Tabelle und berichten Sie.

2.25

der Computer | der Fernseher | die Lampe | das Regal | der Kühlschrank

	Carla	Alex
ins Schlafzimmer		
ins Wohnzimmer		
in die Küche	*der Computer*	
ins Arbeitszimmer		
in den Flur		

G

Wohin? → *in* + Akkusativ
Wohin stellen wir den Stuhl?
der Flur   → **In den** Flur.
das Bad   → **(In das) Ins** Bad.
die Küche → **In die** Küche.

Wohin stellen wir die Bücher?
die Regale → **In die** Regale.

Carla will den Computer in die Küche stellen.

b **Und Sie? In welche Zimmer stellen Sie die Dinge? Sprechen Sie zu zweit.**

der Computer | das Sofa | das Regal | das Bett | der Herd | der Schreibtisch

Ich stelle den Computer ins Wohnzimmer.

5 a **Lesen Sie die Einladung. Welche Informationen fehlen?**

> Hallo Freunde,
> das Wochenende kommt, die Sonne scheint und unsere Wohnung ist fertig! Wir feiern am Samstag in der Hansastraße 11a! Hoffentlich habt ihr Zeit. Wir freuen uns schon! 😊
> Carla und Alex

b **Hören Sie das Gespräch. Notieren Sie die fehlenden Informationen.**

2.26

c **Schreiben Sie eine Antwort.**

Sie können kommen.	**Sie können nicht kommen.**
	Liebe Carla, lieber Alex,	
	vielen Dank für … / danke für …	
Glückwunsch, ich komme sehr gern. / Ich freue mich auf die Feier. / Ich freue mich schon auf Samstag und komme (sehr) gern.	Ich kann leider nicht kommen. / Es tut mir leid, aber ich kann nicht kommen. / Ich habe leider keine Zeit.
Kann ich etwas mitbringen? / Ich bringe einen Kuchen / einen Salat mit, okay?	Ich muss am Samstag arbeiten. / Ich habe am Samstag eine Verabredung. / Ich gehe am Samstagabend …
Kann meine Freundin / mein Freund mitkommen?	Hoffentlich sehen wir uns bald. / Viel Spaß!
	Viele/Liebe Grüße …	

Alles fertig

6 a   **Die Einweihungsfeier. Sehen Sie das Bild an. Was ist wo?**

Der Kühlschrank steht im Flur.

Das Sofa ist im …

▶ G3

b   **Wo genau sind die Dinge? Erzählen Sie.**

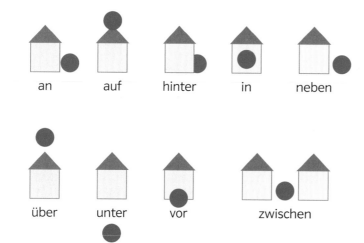

an   auf   hinter   in   neben

über   unter   vor   zwischen

G

Wo? ◉ *in* + Dativ
Wo steht/ist der Schrank?
der Flur   → (In **dem**) **Im** Flur.
das Bad   → (In **dem**) **Im** Bad.
die Küche → **In der** Küche.
Wo sind die Bücher?
die Regale → **In den** Regalen.

G

Wo? ◉ *an, auf, hinter, in, neben,*
über, unter, vor, zwischen + Dativ
Wo ist das Bild?
Über dem Fernseher.

Der Teppich ist im Wohnzimmer
unter dem Sofa.

▶ 22

c   **Wo sind die Möbel und Dinge in Ihrem Kursraum oder in Ihrer Wohnung? Sprechen Sie zu dritt.**

7 a **Hören Sie das Gespräch. Wer sagt was?**

2.27

Carla Vanessa

Carla	Vanessa	
☐	☒	1. Das Wohnzimmer ist ja super. ☺
☐	☐	2. Die Lampe ist doch toll, sie ist nicht langweilig.
☐	☐	3. Sie ist nicht langweilig, aber hässlich.
☐	☐	4. Das Bild über dem Fernseher sieht schön aus.
☐	☐	5. Ich mag es nicht besonders.
☐	☐	6. Die Terrasse ist wirklich super.
☐	☐	7. Der Tisch hier ist nicht mehr schön.
☐	☐	8. Die Terrasse ist ganz toll.
☐	☐	9. Ich finde die Wohnung echt gemütlich!

Gut gesagt:
Begeisterung ausdrücken
2.28
Das ist **ganz** toll.
Ich finde das **echt** super.
Das finde ich **wirklich** schön.
Das sieht **total** gut aus.

b **Welche Äußerung in 7a ist positiv, welche negativ? Notieren Sie ☺ oder ☹.**

8 a **Langes ę oder kurzes ę̧? Welches e hören Sie? Kreuzen Sie an.**

2.29

1. gemütlich ę ę̧
2. mehr ę ę̧
3. hell ę ę̧

4. sehr ę ę̧
5. Teppich ę ę̧
6. Regal ę ę̧

7. Idee ę ę̧
8. neben ę ę̧
9. steht ę ę̧

10. reden ę ę̧
11. Zentrum ę ę̧
12. Bett ę ę̧

b **Wie ist die Regel? Kreuzen Sie an.**

eh oder *ee* spricht man ☐ immer lang. ☐ immer kurz. ☐ lang oder kurz.
e allein spricht man ☐ immer lang. ☐ immer kurz. ☐ lang oder kurz.

c **Hören Sie und sprechen Sie nach.**

2.30

1. Der Student wohnt in einem Apartment im Zentrum.
2. Der Herd steht neben dem Regal.
3. Der Sessel ist gemütlich. Er steht vor dem Fenster.

9 a **Farben. Sehen Sie die Möbel und Geräte an. Verbinden Sie sie mit den Farben.**

schwarz   *braun*   *grau*   *rot*   *orange*   *gelb*   *blau*   *grün*   *lila*   *weiß*

Der Sessel ist rot.

b **Wie heißen die Farben in Ihrer Sprache? Vergleichen Sie.**   *„Grau" heißt auf Türkisch „gri".*

c **Suchen Sie Fotos von Wohnungen oder Zimmern. Was finden Sie schön? Erzählen Sie.**

Ich finde den Sessel total schön.

Wer wohnt denn da?

10 a **Sehen Sie die Fotos an und ordnen Sie die Überschriften zu.**

1. Im Hochhaus zu Hause –
   ich sehe die ganze Stadt

2. Cool – wohnen im Loft,
   alles in einem Raum

3. Hallo Herr Nachbar! –
   Wohnen im Reihenhaus mit Garten

4. Altbauwohnung in der Stadt –
   Treppen aus Holz und hohe Decken

5. Fachwerkhaus – alles klein:
   Zimmer und Fenster

C ☐

A ☐

D ☐

B ☐

E ☐

2.31–35

b **Hören Sie die Bewohner. Machen Sie Notizen zu den Wohnungen und Häusern: Was sind die Vorteile? Was sind die Nachteile?**

	Das ist gut. ☺	Das ist nicht gut. ☹
die Wohnung im Hochhaus		
das Loft		
das Reihenhaus		
die Altbauwohnung		
das Fachwerkhaus		

c **Vergleichen Sie Ihre Notizen. Welche Wohnform finden Sie gut? Warum?**

11 a **Lesen Sie die Texte. Was passt auch zu Ihrer Wohn-Situation? Markieren Sie.**

Wie wohnen Sie?
Das sagen Menschen in unserer Stadt.

Noah,
26 Jahre

Meine Wohnung in einem Hochhaus ist schön, aber klein. Ich habe eine Küche, ein Bad und ein Wohn-/ Schlafzimmer. Die Küche und das Bad sind sehr klein. Aber ich habe auch einen Balkon. Der ist sehr groß und schön mit Blumen und Blick auf die Bäume vor dem Haus. Die Wohnung ist zentral, aber ruhig. Ich bin zufrieden. Ich wohne gern hier.

Kim,
20 Jahre

Zurzeit habe ich ein Zimmer in einer WG. Wir wohnen in einem Fachwerkhaus. Das Zimmer ist gemütlich, aber dunkel und laut. Ich habe nie Sonne im Zimmer, das ist nicht so schön. Die Lage ist auch nicht so gut: im Erdgeschoss und an einer Straße. Aber es ist nicht weit zur Uni, das finde ich perfekt. Die Nachbarn sind sehr nett, das ist auch toll. Und das Zimmer ist nicht teuer.

Maximilian,
45 Jahre

Unser Reihenhaus ist wirklich schön. Die Zimmer sind alle groß und hell, auch die Küche und das Bad. Wir haben auch eine Terrasse. Im Sommer ist das sehr schön. Leider ist das Haus nicht in der Stadt und ich muss immer mit dem Auto fahren. Das mag ich nicht so gern. Vielleicht suchen wir in ein paar Jahren eine Wohnung in der Stadt.

b **Notieren Sie Ihre Textbausteine.**

Meine Wohnung ist schön, aber ...
Die Lage ist nicht so gut. ...

!

Mit Textbausteinen schreiben
Welche Sätze und Ausdrücke können Sie auch verwenden? Markieren Sie sie in Texten und sammeln Sie die Sätze und Ausdrücke in einem Heft.

c **Schreiben Sie einen kurzen Text über Ihre Wohnung oder eine Fantasie-Wohnung.**

12 **Wie wohnt man bei Ihnen? Was ist typisch, was ist besonders? Recherchieren Sie Fotos und erzählen Sie.**

Die Netzwerk-WG

▶ 21 **13 a**   *Unsere Wohnung.* **Sehen Sie Szene 21. Welche Zimmer zeigt Anna ihrer Freundin? Kreuzen Sie an.**

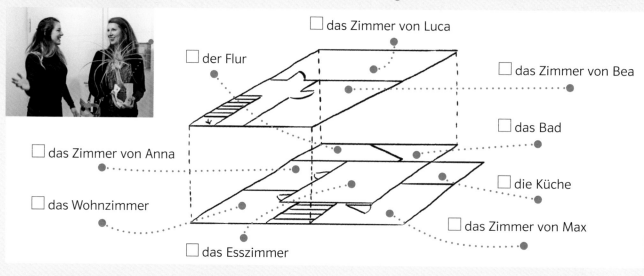

☐ das Zimmer von Luca

☐ der Flur

☐ das Zimmer von Bea

☐ das Bad

☐ das Zimmer von Anna

☐ die Küche

☐ das Wohnzimmer

☐ das Zimmer von Max

☐ das Esszimmer

b   **Sehen Sie Szene 21 noch einmal. Wie findet Annas Freundin die Zimmer?**   *Das Bad findet sie praktisch.*

c   **Wie finden Sie die Wohnung?**

▶ 22 **14 a**   *Ich habe eine Idee.* **Was machen Anna und ihre Freundin? Sehen Sie Szene 22 und beschreiben Sie.**

| Anna und ihre Freundin | stellen hängen | das Bett   das Bild
die Lampe   die Pflanze
den Stuhl   den Tisch
die Tasche | an das Fenster.
auf den Schreibtisch.
an die Wand.   neben den Schrank.
vor den Schrank.   über das Bett.
neben die Tür. |

Anna und ihre Freundin stellen den Tisch neben den Schrank.

b   **Hat Luca recht? Sehen Sie Szene 22 noch einmal. Was ist neu?**

Schau mal, alles neu.

Echt? Ich sehe gar nichts.

c   **Besuch von Freunden. Was machen Sie? Erzählen Sie.**

eine Wohnung beschreiben

Die Wohnung ist ruhig / im Zentrum / zentral.
Die Wohnung ist zu teuer/laut/klein.
Die Wohnung ist sehr hell.
Die Wohnung ist nicht groß.

eine Einladung beantworten

Sie können kommen.

Sie können nicht kommen.

Liebe …, lieber …,
vielen Dank für … / danke für …

Glückwunsch, ich komme sehr gern. / Ich freue mich
auf die Feier. / Ich freue mich schon auf Samstag und
komme (sehr) gern.
Kann ich etwas mitbringen? / Ich bringe einen Kuchen /
einen Salat mit, okay?
Kann meine Freundin / mein Freund mitkommen?

Es tut mir leid, aber ich kann nicht kommen. /
Ich kann leider nicht kommen. / Ich habe leider
keine Zeit.
Ich muss am Samstag arbeiten. / Ich habe am
Samstag eine Verabredung. / Ich gehe am
Samstagabend …
Hoffentlich sehen wir uns bald. / Viel Spaß!

Viele/Liebe Grüße …

Gefallen/Missfallen ausdrücken

☺
Das Wohnzimmer ist ja super.
Die Lampe ist doch toll, sie ist nicht langweilig.
Die Terrasse ist wirklich super.
Ich finde die Wohnung echt gemütlich!
Das ist total schön.

☹
Der Tisch ist nicht mehr schön.
Ich finde die Lampe hässlich.
Ich mag ihn/es/sie nicht besonders.
Ich finde die Wohnung zu klein/laut/teuer/…

---

sein + Adjektiv

Die Wohnung **ist teuer.**
Die Wohnung **ist** nicht **billig.**
Die Wohnung **ist** sehr **teuer.**
Die Wohnung **ist** zu **teuer.**

Wechselpräpositionen

Wohin? ⊕ *in* + Akkusativ	Wo? ⊙ *in* + Dativ	Kurzformen
Wohin stellen wir den Stuhl?	**Wo** steht/ist der Schrank?	in + dem → im
der Flur → **In den** Flur.	der Flur → **Im** Flur.	in + da**s** → in**s**
das Bad → **Ins** Bad.	das Bad → **Im** Bad.	
die Küche → **In die** Küche.	die Küche → **In der** Küche.	
Wohin stellen wir die Bücher?	**Wo** sind die Bücher?	
die Regale → **In die** Regale.	die Regale → **In den** Regale**n**.	

auch nach: *an, auf, hinter, neben, über, unter, vor, zwischen*

Wiederholungsspiel

1 „Drei in einer Reihe." Spielen Sie zu dritt.

Jede/r Spieler/in braucht zehn Figuren: Zettel, Münzen, Spielfiguren, Bonbons …

Wer hat zuerst Geburtstag? Er/Sie beginnt.

Legen Sie eine Figur auf ein Feld. Lösen Sie die Aufgabe.

Richtig? → Die Figur bleibt auf dem Feld.

Falsch? → Die Figur muss weg.

Der/Die Nächste ist an der Reihe.

Wer hat zuerst drei Figuren in einer Reihe? Er/Sie gewinnt.

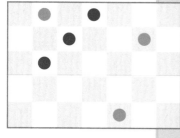

Niemand hat drei in einer Reihe? Spielen Sie noch einmal.

Was machen Sie am Computer? Nennen Sie drei Aktivitäten.

Ich öffne …

1

Aua! Was tut weh?

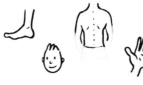

Aua, mein Kopf tut weh!

2

Sie trinken mit Ihren Kolleginnen und Kollegen Kaffee.
Stellen Sie zwei Fragen.

Möchtest du …?

3

Nennen Sie das Gegenteil.
– ruhig
– dunkel
– günstig

8

Langes oder kurzes **e**?
Sprechen Sie.
– du stehst
– die Person
– schnell
– der Weg
– der Termin
– leer

9

Sie sind beim Arzt und haben Kopfschmerzen und Fieber.
Was sagen Sie?

Guten Tag, ich bin …

10

Sie suchen ein Zimmer und sehen diese Anzeige.
Stellen Sie drei Fragen.

> **Zimmer in WG frei!**
> Tel. 0161 – 723345

Wie viel …?

15

Was macht Tom?

Tom geht …

16

Sie haben eine Besprechur
Fragen Sie:
– Wann?
– Wo?
– Wie lange?

Wann ist …?

17

Wie lernen Sie Deutsch? Was machen Sie? Nennen Sie drei Aktivitäten.

Ich …

22

Tina ist krank. Was darf sie nicht machen, was muss sie machen?

Tina darf …

23

Wie heißen die Möbel? Nennen Sie die Wörter mit Artikel.

24

Ihr Freund / Ihre Freundin ist krank. Er/Sie hat Bauchschmerzen. Geben Sie drei Tipps.

Nimm …

29

Sie bekommen eine Einladung:

Geburtstagfest von Christine am 15. Mai.

Welche Informationen brauchen Sie noch?
Stellen Sie zwei Fragen.

30

Anrede und Gruß im Brief. Nennen Sie je zwei Möglichkeiten.

Anrede:
Sehr geehrte …

31

Formulieren Sie Aufforde-
rungen wie ein Fitness-
Trainer.
- aufstehen
- mitmachen
- aktiv sein
- Wasser trinken

Steh auf!

4

Wie finden Sie die Möbel?
- der Schrank – 😞
- das Sofa und
  der Sessel – 😊
- das Regal – 😐
- die Stühle – 😞

*Ich finde den Schrank
nicht schön.*

5

Mit wem machen Sie das?
- sprechen – … Partner
- arbeiten – … zwei Kollegen
- lernen – … Freundin
- telefonieren – … Kundin

*Ich spreche mit
einem Partner.*

6

Wie heißen
die Gebäude?
Nennen Sie
auch den
Artikel.

7

Ergänzen Sie.
Frau Schneider …
- ist … (in – das Büro).
- geht … (zu – die Bank).
- ist … (bei – die Chefin).

11

Nennen Sie fünf Zimmer in
einer Wohnung.

 *Es gibt …*

12

st oder *scht*? Sprechen Sie.
- der Stuhl
- das Obst
- der Samstag
- das Fest
- die Straße

13

Wo ist das bei Ihnen?
- der Herd
- das Bett
- die Waschmaschine
- der Fernseher

*Der Herd ist in
der Küche.*

14

Wohin kommt das?

→ … Wohnzimmer.

→ … Flur.
*Das Sofa
kommt …*

→ … Küche.

18

Laura im Praktikum. Was
macht sie? Verbinden Sie mit
und und *oder*.
- früh aufstehen +
  ins Büro fahren
- am Computer arbeiten /
  in Besprechungen sein
Laura steht früh …

19

Wie heißen die Farben?

20

Sie möchten einen Text
schreiben und ausdrucken.
Was machen Sie zuerst,
was dann?

*Zuerst fahre ich den
Computer hoch, dann …*

21

Ihnen gefällt etwas sehr
gut. Was können Sie sagen?
Nennen Sie drei Möglich-
keiten.

Das finde ich …

25

Wörter mit *p*, *t*, *k* oder *b*, *d*, *g*.
Sprechen Sie:
- Bauch
- Patient
- Tablette
- dann
- krank
- gehen

26

Woher kommt Herr
Schneider?
- das Büro
- der Chef
- die Kantine

Er kommt aus …

27

Was gibt es im Wohnzimmer?
Nennen Sie fünf Dinge.

Im Wohnzimmer ist …

28

Beschreiben Sie Ihren Lieblingsort. Wann sind Sie dort?
Was machen Sie dort gern?

*Mein Lieblingsort
ist …*

32

Was hat der Arzt gesagt?
- viel Tee trinken
- den Arm wenig bewegen
- viel schlafen

Ich soll …

33

Einladung

Sie haben eine Einladung zu
einem Abendessen bei
Freunden. Fragen Sie:
- Wann?
- Was mitbringen?

34

Formulieren Sie drei Aufforderungen für den Kurs.

Lies den Text.

35

Fitness und Alltag

2 a Was machen Sie? Wie oft? Kreuzen Sie an.

Aktivität	ich	mein Partner / meine Partnerin
30 Minuten oder mehr zu Fuß gehen	☐ täglich _____ x pro Woche ☐ nie	☐ täglich _____ x pro Woche ☐ nie
die Treppe nehmen	☐ täglich ☐ manchmal ☐ nie	☐ täglich ☐ manchmal ☐ nie
joggen oder Übungen machen	☐ täglich _____ x pro Woche ☐ nie	☐ täglich _____ x pro Woche ☐ nie
im Fitness-Studio trainieren	☐ täglich _____ x pro Woche ☐ nie	☐ täglich _____ x pro Woche ☐ nie
Fahrrad fahren	☐ täglich _____ x pro Woche ☐ nie	☐ täglich _____ x pro Woche ☐ nie
mit anderen spielen	☐ täglich _____ x pro Woche ☐ nie	☐ täglich _____ x pro Woche ☐ nie
Das mache ich auch: _____ _____	☐ täglich _____ x pro Woche ☐ nie	☐ täglich _____ x pro Woche ☐ nie

b Fragen Sie Ihren Partner / Ihre Partnerin. Notieren Sie die Antwort.

Wie oft gehst du zu Fuß, 30 Minuten oder mehr?   *Drei Mal pro Woche.*

c Welche anderen Aktivitäten gibt es in Ihrem Kurs? Sammeln Sie.

3 Sie können nicht zum Kurs kommen. Schreiben Sie eine Nachricht an einen Freund / eine Freundin aus dem Kurs.

arbeiten | das Bein bewegen | das Hausmittel | das Medikament | der Husten | die Wunde | einen Unfall haben | im Bett bleiben | Kopfschmerzen | krank sein | mir ist schlecht | wehtun | zum Arzt gehen | nicht aufstehen

Hallo Lisa, ...

🔊
2.36

4 a Wohin kommt das? Hören Sie. Welche Anweisungen sind freundlich (= f), welche unfreundlich (= u)? Notieren Sie.

Wohin kommt das?

1. _f_ Stell den Fernseher ins Schlafzimmer, bitte.

2. _____ Bringt den Herd in die Küche, bitte.

3. _____ Bring die Lampe bitte ins Arbeitszimmer.

4. _____ Bitte stellt das Regal in den Flur.

5. _____ Stellt den Sessel ins Wohnzimmer.

6. _____ Bitte bring den Teppich ins Schlafzimmer.

b Freundlich oder unfreundlich? Sprechen Sie die Sätze aus 4a. Ihr Partner / Ihre Partnerin rät.

5 a Arbeiten Sie zu zweit. Jede/r wählt ein Bild. Was sehen Sie? Notieren Sie neun Wörter mit Artikel und Plural.

b Was gibt es auf Ihrem Bild? Berichten Sie. Ihr Partner / Ihre Partnerin notiert die Wörter mit Artikel und Plural.

Auf dem Bild ist ein Regal.　　　*Heißt es das Regal? Oder der Regal?*　　　*Das.*

6 Arbeiten Sie in Gruppen. Eine Person nennt ein Wort. Machen Sie damit eine Wörtertreppe wie im Beispiel. Die Treppe ist fertig: Der/Die Nächste nennt das erste Wort.

gern
Donnerstag
Land
E-Mail
Name
kochen

Like, like

🔊 **7 a** **Hören Sie das Lied von *Einshoch6*. Welche Wörter verstehen Sie? Notieren Sie und sammeln Sie im Kurs.**
2.37

Chat, Technik, toll …

b **Was glauben Sie? Worum geht es in dem Lied?**

c **Hören Sie das Lied noch einmal und ordnen Sie den Text.**

Like, like

_____ Like, like! Like, like!
Es dreht sich um Likes und Klicks,
Klicks und Likes, Likes und Klicks,
klick auf Links und Likes.
Und darum wollen wir Klicks und Likes,
Likes und Klicks, Klicks und Likes,
verlink die Links und Likes.
Es dreht sich um Likes und Klicks […]
Like, like! Like, like!

_____ Like, like! Like, like!
Ich wache auf und mein Chat ist voll.
Ich muss schon wirklich sagen, unsere neue Technik ist toll.
Ich kann mich selbst zeigen und der Welt schreiben,
teilen, skypen, chatten und dabei im Bett bleiben.
Ein neues Fotoalbum hab ich gleich erstellt.
Ich mach ein Bild von meinem Frühstück und like es selbst.
Finde mich und mein Leben einfach megaheiß.
Poste, wie ich gerne wäre, damit es jeder weiß.
Ich liebe es, zu kommentieren, Beiträge zu markieren,
weise Sprüche zu zitieren und meine Fotos zu verzieren.

_____ Like, like! Like, like!
Ich pose vor dem Spiegel, und das pausenlos,
denn bei Duckface-Bildern gehen die Daumen hoch.
Echt sweet, voll süß, l.o.v.e,
supertoll, megacool, haha, hihi,
Smiley, rofl, lol,
omg, hdgdl. 😮 😷
Wir sind best Friends.
Damit's die Welt sieht,
halten wir die Handys hoch und schreien: Selfie!
Selfie!

DW Kostenlos Deutsch lernen mit der DW. Nutzen Sie Texte, Audios, Videos und interaktive Übungen auf dw.com/deutschlernen.

d **Was macht die Person im Lied alles? Was kennen Sie? Markieren Sie Wörter und Ausdrücke.**

e **Und Sie? Was aus dem Lied machen Sie oft/manchmal/nie? Sprechen Sie in Gruppen.**

Wohntypen

8 a **Allein, mit der Familie, mit einem Freund / einer Freundin oder in einer WG. Welcher Wohntyp sind Sie?**
Machen Sie den Test.

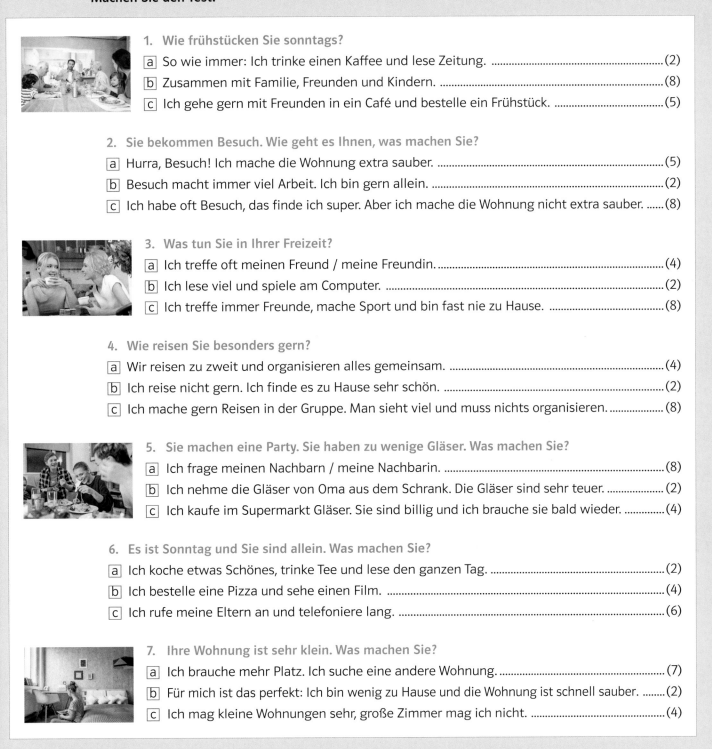

1. Wie frühstücken Sie sonntags?

a So wie immer: Ich trinke einen Kaffee und lese Zeitung. ....(2)

b Zusammen mit Familie, Freunden und Kindern. ....(8)

c Ich gehe gern mit Freunden in ein Café und bestelle ein Frühstück. ....(5)

2. Sie bekommen Besuch. Wie geht es Ihnen, was machen Sie?

a Hurra, Besuch! Ich mache die Wohnung extra sauber. ....(5)

b Besuch macht immer viel Arbeit. Ich bin gern allein. ....(2)

c Ich habe oft Besuch, das finde ich super. Aber ich mache die Wohnung nicht extra sauber. ......(8)

3. Was tun Sie in Ihrer Freizeit?

a Ich treffe oft meinen Freund / meine Freundin. ....(4)

b Ich lese viel und spiele am Computer. ....(2)

c Ich treffe immer Freunde, mache Sport und bin fast nie zu Hause. ....(8)

4. Wie reisen Sie besonders gern?

a Wir reisen zu zweit und organisieren alles gemeinsam. ....(4)

b Ich reise nicht gern. Ich finde es zu Hause sehr schön. ....(2)

c Ich mache gern Reisen in der Gruppe. Man sieht viel und muss nichts organisieren. ....(8)

5. Sie machen eine Party. Sie haben zu wenige Gläser. Was machen Sie?

a Ich frage meinen Nachbarn / meine Nachbarin. ....(8)

b Ich nehme die Gläser von Oma aus dem Schrank. Die Gläser sind sehr teuer. ....(2)

c Ich kaufe im Supermarkt Gläser. Sie sind billig und ich brauche sie bald wieder. ....(4)

6. Es ist Sonntag und Sie sind allein. Was machen Sie?

a Ich koche etwas Schönes, trinke Tee und lese den ganzen Tag. ....(2)

b Ich bestelle eine Pizza und sehe einen Film. ....(4)

c Ich rufe meine Eltern an und telefoniere lang. ....(6)

7. Ihre Wohnung ist sehr klein. Was machen Sie?

a Ich brauche mehr Platz. Ich suche eine andere Wohnung. ....(7)

b Für mich ist das perfekt: Ich bin wenig zu Hause und die Wohnung ist schnell sauber. ....(2)

c Ich mag kleine Wohnungen sehr, große Zimmer mag ich nicht. ....(4)

b **Zählen Sie Ihre Punkte und lesen Sie die Auswertung. Passt sie zu Ihnen?**

45–56 Wohntyp *WG:* Wohnen in einer WG. Das ist das Richtige für Sie. Hier sind Sie nie allein und es gibt oft Partys und Feste.

35–44 Wohntyp *Familie:* Sie sind ein Familienmensch. Sie wollen mit Oma und Opa, Eltern und Kindern in einem Haus zusammenwohnen.

21–35 Wohntyp *Freund/Freundin:* Sie wohnen nicht so gern ganz allein, aber mit vielen Leuten möchten Sie auch nicht zusammenwohnen. Wohnen mit einem Freund / einer Freundin ist ideal für Sie.

14–20 Wohntyp *Single:* Sie wohnen gern allein. Sie machen nicht gern Pläne und lieben Ihre Freiheit.

Studium und Beruf

A   B

📋 **1 a Was machen die Leute? Beschreiben Sie die Fotos.**

Bilder malen | Kinder betreuen | lernen | segeln | recherchieren | eine Stadt zeigen | Unterricht geben | spielen

🔊
2.38

b Hören Sie die Radiosendung. Welchen Beruf haben die Personen? Was finden sie gut, was nicht? Notieren Sie.

der Architekt / die Architektin | der Reiseführer / die Reiseführerin | der Erzieher / die Erzieherin | der Informatiker / die Informatikerin | der Künstler / die Künstlerin | der Student / die Studentin | der Segellehrer / die Segellehrerin | der Kellner / die Kellnerin

Person	Beruf	Vorteil	Nachteil
Julia Wimmer	Segellehrerin	draußen sein	

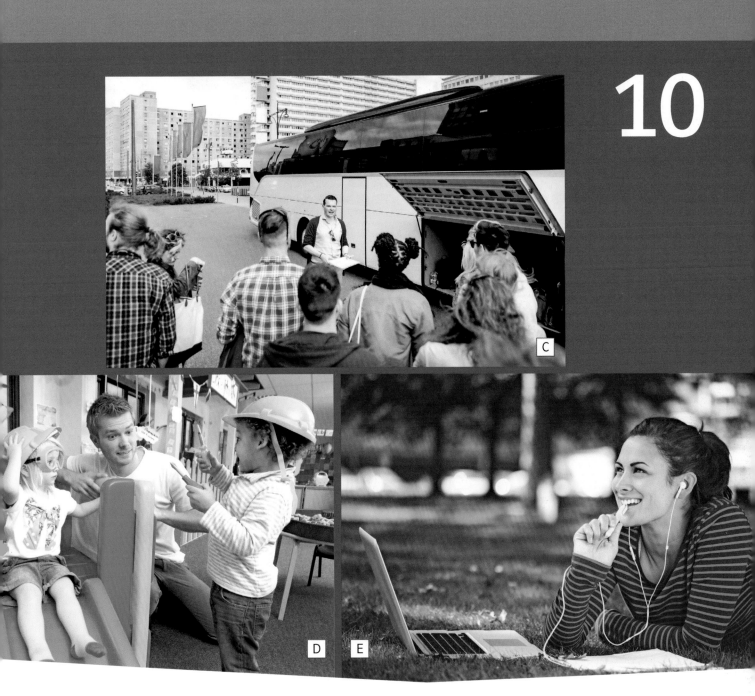

2 a **Was ist für Sie wichtig im Beruf? Wählen Sie drei Aussagen und geben Sie Punkte: 3 Punkte = sehr wichtig.**

	1	2	3
1. Die Arbeit ist interessant und macht Spaß.	☐	☐	☐
2. Ich habe im Beruf viele Kontakte.	☐	☐	☐
3. Die Arbeit ist nicht anstrengend.	☐	☐	☐
4. Ich kann in meinem Beruf viel reisen.	☐	☐	☐
5. Ich arbeite im Team.	☐	☐	☐
6. Ich verdiene viel Geld.	☐	☐	☐
7. Die Kollegen und Chefs sind nett.	☐	☐	☐
8. Ich kann Karriere machen.	☐	☐	☐

b **Vergleichen Sie Ihre Ergebnisse. Machen Sie eine Kursstatistik.**

Mein Tag

3 a **Sehen Sie die Bilder an und lesen Sie die Nachrichten von Daniel und Tina. Ordnen Sie die Bilder in die richtige Reihenfolge.**

Endlich! Ich muss etwas essen.

Okay, planen wir mal die Präsentation.

A ☐

B ☐

Jetzt lerne ich schon sechs Stunden.

Wann ist es endlich vorbei?!

C ☐

D ☐

Musst du gehen?

Ja, ich habe um halb neun ein Seminar.

E ☐

> Wie war dein Tag?

> Na ja, es geht. Ich war schon um 8:30 Uhr an der Uni.

> Warst du im Seminar bei Professor Masser?

> Ja. Es war total langweilig. Er hat immer nur geredet. 😐

> Oh, das kenne ich! Ich habe das Seminar im letzten Semester gemacht. 😊 Und das Projekt?

> Das läuft gut, wir haben die Präsentation geplant. Dann habe ich 6 Stunden lang gelernt!

> Echt fleißig! Hast du keine Pause gemacht?

> Na ja, ich hatte nach dem Lernen Hunger und der Kühlschrank war leer. Ich habe schnell eine Pizza geholt. 😊

> Lecker! Und jetzt? Machst du Feierabend?

b **Was ist passiert? Ergänzen Sie die Sätze.**

08:30	Der Professor _hat_ immer nur _____.
14:00	Daniel _____ eine Präsentation _____.
16:00	Daniel _____ sechs Stunden lang _____.
22:00	Er _____ eine Pause _____. Er _____ eine Pizza _____.

G

Perfekt: Satzklammer

Der Professor	**hat**	immer		**geredet**.
Daniel		**hat**	sechs Stunden	**gelernt**.
		haben		Partizip II

Partizip II: regelmäßige Verben
machen   **ge**mach**t**
ebenso: planen, holen, schmecken …
reden   **ge**red**et**
ebenso: arbeiten, warten …

So war das

4 a **Im Unicafé. Was hat Tina gemacht? Was hat Daniel gemacht? Hören Sie und kreuzen Sie an.**

2.39

	Tina	Daniel
1. für ein Seminar recherchieren	☐	☐
2. Statistik lernen	☐	☐
3. eine Prüfung machen	☐	☐
4. eine Präsentation machen	☐	☐
5. Fußball spielen	☐	☐
6. im Studio trainieren	☐	☐
7. in der Bäckerei arbeiten	☐	☐

b **Was haben die beiden gemacht? Schreiben Sie. Vergleichen Sie dann zu zweit.**

Tina	Daniel
hat für ein Seminar recherchiert	

G

Partizip II: Verben auf *-ieren*

Tina **hat** für ein Seminar **recherchiert**.

recherchieren   hat recherchier**t**
ebenso: telefon**ieren**, stud**ieren**, train**ieren**

5 a **Was hat Daniel vor dem Studium gemacht? Hören Sie und ordnen Sie zu.**

2.40

1. Daniel hat nach der Schule _D_   A seine Freunde kaum gesehen.

2. Bei der Arbeit hat es ____   B seine Freundin Maya getroffen.

3. Daniel hatte nie Zeit und hat ____   C auch Probleme gegeben.

4. Dann hat Daniel ____   D Arbeit bei einer Bank gefunden.

5. Im Urlaub hat Daniel ____   E vier Wochen Urlaub genommen.

b **Markieren Sie die Partizip-Formen in 5a. Machen Sie dann eine Liste mit dem Infinitiv und dem Partizip II.**

unregelmäßige Verben

finden – hat gefunden

G

Partizip II: unregelmäßige Verben
finden   hat **gefund**en
treffen   hat **getr**off**en**

6 **Arbeiten Sie in Gruppen. Notieren Sie fünf Verben aus Aufgabe 3 bis 5 auf Zettel. Mischen Sie die Zettel. Ziehen Sie einen Zettel und bilden Sie einen Satz im Perfekt.**

!

Lernen Sie Infinitiv und Partizip II immer zusammen. Eine Liste mit unregelmäßigen Verben finden Sie im Anhang.

finden

Ich habe heute Geld gefunden.

Der Weg zum Job

7 a   Lesen Sie. Was sind die Personen von Beruf? Wie haben sie die Stelle gefunden? Sprechen Sie zu zweit.

FELIX M., 25   Ich habe eine Anzeige im Internet gelesen und gleich meine Bewerbung geschickt. Vier Wochen später bin ich nach Berlin gekommen und arbeite jetzt hier als Krankenpfleger. Das Krankenhaus ist gut und die Kollegen sind nett und freundlich. Meine Ehefrau habe ich auch hier kennengelernt.

LEA S., 24   Vor drei Jahren bin ich nach Spanien geflogen und ich bin dort geblieben. Ich habe in einem Hotel gearbeitet. Jetzt bin ich wieder in der Heimat und arbeite in einem Hotel im Zentrum. Die Stelle habe ich durch ein Job-Portal gefunden. Der Hotelchef hat mein Profil gesehen und eine Nachricht geschrieben. Wir haben gesprochen und jetzt habe ich den Job.

CLAUDIA L., 41   Früher bin ich jeden Tag zwei Stunden zum Büro gefahren. Und abends dann wieder zwei Stunden zurück. Das war zu viel und ich hatte es immer eilig. Dann habe ich in der Zeitung eine Anzeige gesehen. Die Firma hat eine Sekretärin gesucht und ich habe eine Bewerbung geschrieben. Sie haben mich genommen und jetzt brauche ich nur noch 15 Minuten zur Arbeit.

FREDDY K., 52   Ich bin Koch und war zwei Jahre lang arbeitslos. Ich bin jede Woche zur Agentur für Arbeit gegangen, aber nichts ist passiert. Dann hat das Restaurant hier in der Straße einen Koch gesucht. Ich kenne die Chefin und habe sie gleich gefragt: „Kann ich hier arbeiten?" Sie hat sofort „Ja" gesagt.

Freddy ist … von Beruf. Er hat die Chefin …

b   Welche Aussagen sind richtig? Kreuzen Sie an und korrigieren Sie die falschen Aussagen.

1. ☐ Felix wohnt jetzt in Berlin und er mag seine Arbeit.
2. ☐ Claudia ist vorher nur 15 Minuten zur Arbeit gefahren.
3. ☐ Freddy hat drei Jahre lang nicht gearbeitet.
4. ☐ Lea hat in Spanien gelebt.

▶ G4 **8 a   Lesen Sie noch einmal. Markieren Sie im Text die Verben im Perfekt mit *sein* und ergänzen Sie die Regel.**

> **G**
>
> **Perfekt mit *sein*: Verben der Ortsveränderung: A → 🚶 → B**
>
> | | | | | |
> |---|---|---|---|---|
> | fahren | Claudia | _ist_ | zwei Stunden zur Arbeit | _gefahren_. |
> | gehen | Freddy | _____ | zur Agentur für Arbeit | _____. |
> | kommen | Felix | _____ | nach Berlin | _____. |
> | fliegen | Lea | _____ | nach Spanien | _____. |
> | ! bleiben | Sie | _____ | zwei Jahre in Spanien | _____. |
> | ! passieren | Es | _____ | nichts | _____. |

☐ **b   Ergänzen Sie Ihre Liste aus 5b mit den Verben aus 7a.**

unregelmäßige Verben

Verben mit „haben" | *Verben mit „sein"*

lesen – hat gelesen | *kommen – ist gekommen*

c **Notieren Sie drei Fragen. Gehen Sie durch den Kursraum. Fragen und antworten Sie.**

wo – zur Schule gehen
was – studieren/lernen

wie lange – zur Schule/Uni gehen
wie – deine Stelle finden

wann – nach … kommen
wo – letztes Jahr – arbeiten

Wo bist du zur Schule gegangen?   *In …*

d **Sammeln Sie die Informationen zu den Personen im Kurs.**

Elio ist in Verona zur Schule gegangen und er hat …

9 a **Ein ganz normaler Tag? Florian erzählt. Wie war es wirklich? Sprechen Sie zu zweit.**

einen Spaziergang machen | im Internet Nachrichten lesen | Tennis spielen | zu Mittag essen |
zum Tennisplatz fahren

Das war ein Tag! So viel Stress.

Am Morgen bin ich zu einer Kundin gefahren.

Ich habe den ganzen Vormittag mit einer Firma gesprochen.

A

B

Mittags hatte ich eine Besprechung mit der Chefin und dann habe ich mit Kunden zu Mittag gegessen.

Am Nachmittag habe ich ein Angebot geschrieben und eine Präsentation geplant.

Dann habe ich meine Kollegen getroffen und wir haben über ein Projekt diskutiert.

C

D

E

Florian ist nicht zu einer Kundin gefahren, er ist …

b **Was haben Sie gestern gemacht? Schreiben Sie einen kurzen Text.**

machen | planen | lernen | reden | arbeiten | sehen | diskutieren | treffen | gehen | fahren |
bleiben | schreiben | sprechen | telefonieren | essen

◀)♀10 a **Aussprache *h*. Was hören Sie? Kreuzen Sie an.**

2.41

1. ☐ Eis ☐ heiß   2. ☐ er ☐ her   3. ☐ aus ☐ Haus   4. ☐ und ☐ Hund

◀)♀ b **Hören Sie und sprechen Sie nach.**

2.42

1. Hallo Hanna, hast du heute Abend Zeit?
2. Hans hat heute zu Hause gearbeitet.
3. Herr Huber arbeitet im Hotel „Hilber" in Hamburg.

Ein Anruf bei ...

11 a **Lesen Sie und ordnen Sie zu.**

1. ○ Firma Hölke, guten Tag. Sie sprechen mit Tom Müller. _____

2. ○ Tut mir leid. Da kann ich Ihnen nicht helfen. Sie müssen mit Frau Selmicz sprechen. _____

3. ○ Selmicz. S E L M I C Z. _____

4. ○ Frau Selmicz ist heute leider nicht da. Können Sie morgen noch einmal anrufen? _____

5. ○ Ja, das ist die 4319. _____

6. ○ Bitte. Auf Wiederhören. _____

A ● Vielen Dank.
B ● Ja, natürlich. Können Sie mir die Durchwahl von Frau Selmicz geben?
C ● Guten Tag, hier ist Claudia Lange. Ich habe Ihre Anzeige gesehen. Sie suchen eine Sekretärin. Ich habe eine Frage zu der Anzeige.
D ● Auf Wiederhören.
E ● Entschuldigung, das habe ich nicht verstanden. Können Sie den Namen bitte wiederholen?
F ● Danke. Können Sie mich mit Frau Selmicz verbinden?

> **!**
>
> **Telefonieren**
> Notieren Sie Sätze und Wörter t
> typische Situationen am Telefor
> Lernen Sie sie auswendig.

🔊 2.43 **b** **Hören Sie jetzt das Gespräch und kontrollieren Sie.**

c **Was sagen Sie wann? Lesen Sie das Gespräch in 11a noch einmal und ergänzen Sie.**

> **Am Telefon**
>
> | | |
> |---|---|
> | Sie melden sich am Telefon: | Guten Tag, mein Name ist … |
> | Sie möchten eine bestimmte Person sprechen: | Kann ich bitte mit Frau/Herrn … sprechen? |
> | Sie möchten etwas fragen: | Kann ich Sie etwas fragen? |
> | Sie haben etwas nicht verstanden: | Entschuldigung, wie bitte? Können Sie das buchstabieren? |
> | Sie verabschieden sich: | |

12 **Arbeiten Sie zu zweit. Wählen Sie eine Situation und bereiten Sie ein Telefongespräch vor. Spielen Sie dann Ihr Gespräch vor.**

1A Sie rufen bei der Computerfirma Gruber an und möchten Frau Stadler sprechen. Sie haben eine Frage zu einem Computerproblem.

1B Sie arbeiten bei der Firma Gruber. Der Anschluss von Frau Stadler ist besetzt, aber auch Herr Maurer kann Fragen zu Computerproblemen beantworten.

2A Sie rufen in der Sprachschule an. Fragen Sie: Wann sind die Termine für die Prüfung?

2B Sie sind ganz neu in der Sprachschule. Fragen zu Terminen können Sie nicht beantworten. Das kann Herr Krämer.

🔊 2.44

> **Gut gesagt: Am Telefon**
> Am Telefon meldet man sich normalerweise mit dem Familiennamen. Junge Leute sagen heute auch oft nur *Hallo*.
>
>
>
> Hallo!   Müller.
> Tschüs!   Auf Wiederhören.

Jobs rund ums Jahr

13 a **Sehen Sie die Fotos an und lesen Sie die Texte. Ordnen Sie zu.**

 A

 B

 C

_____ **1 Oktoberfest in München**

Das Oktoberfest gibt es seit 1810. Es beginnt im September und dauert bis Anfang Oktober, insgesamt 16–18 Tage. Man kann essen und trinken und natürlich Karussell fahren. Jedes Jahr kommen über 6 Millionen Besucher. Viele Besucher kommen auch aus dem Ausland. Auf dem Oktoberfest arbeiten jedes Jahr 13.000 Menschen.

_____ **2 Weihnachtsmarkt in Dresden**

Seit 1434 gibt es den Dresdner Weihnachtsmarkt, den Striezelmarkt. Er ist der älteste Weihnachtsmarkt in Deutschland und jedes Jahr kommen 2,5 Millionen Besucher. 240 Händler verkaufen ihre Waren. Eine Spezialität ist der Dresdner Stollen. Aber es gibt auch andere Spezialitäten zum Essen und Trinken. Der Markt ist von Ende November bis 24.12. täglich geöffnet.

_____ **3 Bregenzer Festspiele**

Das Kulturfestival gibt es seit 1946 und es findet jedes Jahr im Juli und August statt. Die Attraktion ist die Bühne im See. Es gibt Platz für 7.000 Zuschauer. Jedes Jahr kommen ca. 250.000 Besucher und sehen berühmte Opern.

b **Arbeiten Sie zu dritt. Jede/r liest einen Text und notiert Informationen zur Veranstaltung.**

Wo ist das?   Wann ist das?   Seit wann gibt es das?
Wie viele Besucher kommen pro Jahr?   Was kann man dort machen?

c **Stellen Sie mit Ihren Notizen aus 13b die Veranstaltung vor.**

d **Welche Jobs machen die Personen? Hören Sie und ordnen Sie zu.**

2.45

▶ 23–24

 A   Kellnerin Person _____

 B   Händler Person _____

 C   Statist Person _____

e **Hören Sie noch einmal. Wer sagt was? Kreuzen Sie an.**

Person	1	2	3
Der Job ist anstrengend, aber ich verdiene viel Geld.	☐	☐	☐
Die Arbeit macht Spaß, aber ich bekomme nicht viel Geld.	☐	☐	☐
Wir verkaufen viel und es ist jedes Jahr wieder schön.	☐	☐	☐

f **Welche Saison-Jobs oder interessanten Jobs kennen Sie? Recherchieren Sie Fotos und erzählen Sie.**

Die Netzwerk-WG

▶ 23 **14 a** *Und wie ist dein Job?* Sehen Sie Szene 23. Wo arbeiten Bea und Anna?

Arbeit im Restaurant | Praktikum in einer Firma | Job für eine Marketing-Firma |
Arbeit in der Bank | Arbeit bei einer Filmfirma | Praktikum in einem Supermarkt

b Sehen Sie die Szene noch einmal. Was macht Bea, was macht Anna? Ordnen Sie zu.

A mit Kunden sprechen
B Verträge machen
C mit dem Chef sprechen
D ein Projekt planen
E am Computer arbeiten
F viel für die Organisation machen
G Termine kontrollieren
H Essen bestellen
I das Protokoll schreiben

Bea macht viel für die Organisation.

c Was denken Sie? Welchen Job aus 14a hat Max gefunden?

15 a Die Stellenanzeige. Lesen Sie die Anzeige.
Wie bereiten Sie sich auf das Bewerbungsgespräch vor? Sprechen Sie zu zweit.

Kleidung wählen | mit Freunden sprechen |
Informationen über die Firma suchen |
den Weg recherchieren | ...

> **Du promotest unser Produkt** und gewinnst ☒
> durch deine sympathische und offene Art
> neue Kunden für uns! **Schick uns deine
> Bewerbung** und wir laden dich zu einem
> Gespräch ein. bewerbung@arbeitsmonster.de

▶ 24 **b** *Frag nicht!* Sehen Sie Szene 24. Was macht Max wann?
Wie findet Max den Job?

c Sehen Sie das Foto in 15b noch einmal an. Max wartet vor
dem Bewerbungsgespräch. Was denkt er wahrscheinlich?
Notieren Sie.

09:51 Uhr	10:23 Uhr	10:39 Uhr

d Lesen Sie die Nachricht von Max. Was sagt er jetzt über den Job? Was ist gut, was ist schlecht?
Erzählen Sie.

> Nun habe ich eine Woche als „Promoter" gearbeitet. Eigentlich war es nicht schlecht: Ich
> habe mit vielen Leuten gesprochen – das hat Spaß gemacht. Die Bezahlung ist nicht so gut,
> aber ich habe auch keinen Stress. Besonders toll sind die Arbeitszeiten: von 11 Uhr bis 16 Uhr.
> Morgens kann ich lange schlafen und abends habe ich frei. 😊 Aber mit dem Kostüm bin ich
> nicht glücklich. Es ist sehr hässlich und zu warm!

über Berufe und Jobs sprechen

Die Arbeit / Der Beruf macht (viel/keinen) Spaß.
Die Arbeit ist interessant/gut / (nicht) anstrengend / toll …
… finde ich gut. / Ich … gern. / Ich mag …
Der Chef / Die Chefin ist / Die Kolleginnen und Kollegen sind nett/freundlich/…
Ich verdiene viel/wenig / nicht so viel (Geld).
Ich kann Karriere machen / viel reisen / …

telefonieren und nachfragen

sich melden	Guten Tag. / Mein Name ist … / Hier ist … / Sie sprechen mit …
nach einer Person fragen	Ist Frau/Herr … da? / Kann ich bitte mit Frau/Herrn … sprechen? / Können Sie mich mit Frau/Herrn … verbinden?
etwas fragen	Kann ich Sie etwas fragen? / Ich habe eine Frage: … / Können Sie mir die Durchwahl von … geben?
nachfragen	Können Sie das bitte noch einmal sagen? / Entschuldigung, wie bitte? / Können Sie das bitte wiederholen/buchstabieren? / Entschuldigung, das habe ich nicht verstanden.
sich verabschieden	Vielen/Herzlichen Dank. Auf Wiederhören.

Perfekt: Satzklammer

Daniel	hat	sechs Stunden	gelernt.
Tina	hat	für ein Seminar	recherchiert.
Claudia	ist	zwei Stunden zur Arbeit	gefahren.
Was	hast	du heute	gemacht?
	haben/sein		**Partizip II**

Partizip II

Regelmäßige Verben: ge…(e)t		**Unregelmäßige Verben: ge…en**	
machen	**ge**mach**t**	fahren	**ge**fahr**en**
arbeiten	**ge**arbeit**et**	bleiben	**ge**blieb**en**
		finden	**ge**fund**en**
Verben auf *-ieren*: …t		gehen	**ge**gang**en**
studieren	studier**t**	! denken	**gedacht**
telefonieren	telefonier**t**	! wissen	**gewusst**

Eine Liste mit unregelmäßigen Verben finden Sie im Anhang.

Perfekt mit *sein*:
Verben der Ortsveränderung A → 🚶 → B:
fahren – ist gefahren, gehen – ist gegangen, kommen – ist gekommen, …
! bleiben – ist geblieben, passieren – ist passiert

Perfekt von *sein* und *haben*:
Die Perfektformen *ich bin gewesen, ich habe gehabt* verwendet man nur selten.
Man verwendet *ich **war*** und *ich **hatte***.

Die Jacke gefällt mir!

1 a Die Verabredung. Sehen Sie den Comic an. Welche Aussage passt wo? Ordnen Sie zu und vergleichen Sie.

1. Das macht 119 Euro, bitte.
2. Ich freue mich auf heute Abend! Hm ... Was ziehe ich nur an?!
3. Das Hemd und die Hose stehen Ihnen sehr gut!
4. Das T-Shirt ist doof, zu weit und viel zu lang. Ich muss einkaufen!
5. Hoffentlich finde ich hier etwas!
6. Oh, hallo! Was machst du denn hier?
7. Das ist aber schön! Und teuer! Egal, ich kaufe es.
8. Super T-Shirt.
9. Der Rock ist zu kurz. Und die Hose ist zu eng.
10. Ja, und du siehst auch toll aus!

b Hören Sie zwei Gespräche. Welches Gespräch passt zu der Geschichte: 1 oder 2?

2.46–47

2 a Welche Kleidung tragen Sie wann oder wo? Sammeln Sie Wörter aus 1a und ergänzen Sie mit dem
Wörterbuch. Erzählen Sie dann.

▶ 25–26

der Anzug

das Kleid

(beim Ausgehen) (zu Hause) (bei der Arbeit /
in der Uni/Schule) (beim Sport)

der Pullover

die Sportschuhe

*Bei der Arbeit trage ich meistens einen
Anzug, aber keine Krawatte.*

b Welche Wörter sind in anderen Sprachen ähnlich oder gleich? Sammeln Sie.

das T-Shirt ...

Ich brauche neue Kleidung!

3 a **Wo kaufen Sie Kleidung? Vergleichen Sie im Kurs.**

A im Kleidergeschäft B im Internet C auf dem Markt D im Kaufhaus E im Secondhand-Laden

🔊 2.48 **b** **Hören Sie das Gespräch. Wo will Andreas Kleidung kaufen?**

🔊 2.49 **c** **Hören Sie weiter und notieren Sie. Wer findet was gut?**

Andreas: _____

Jana: _____

🔊 2.50 **d** **Hören Sie das Ende des Gesprächs. Was bestellt Andreas?**

4 a **Die Entscheidung. Lesen Sie das Gespräch und ergänzen Sie die Regel.**

> ○ Sieh mal, der Mantel ist doch toll, oder?
> ● Welcher Mantel?
> ○ Na, dieser hier.
> ● Findest du? Also, ich finde diese Jacke hier daneben viel besser.
> ○ Welche Jacke meinst du? Diese??? Nein, die ist nicht schön.
> ● Ach, Andreas! Du findest echt gar nichts schön!
> ○ Quatsch! Schau mal: Wie findest du diesen Hut hier? Der ist super! Und dann brauche ich noch ein T-Shirt in Schwarz.

! ☺ gut ☺☺ besser

G Welcher? – dieser

	Nominativ		Akkusativ	
der Mantel	_____	_____	Welch**en**?	_____
das Kleid	Welch**es**?	dies**es**	Welch**es**?	dies**es**
die Jacke	Welch**e**?	dies**e**	_____	_____
die Schuhe	Welch**e**?	dies**e**	Welch**e**?	dies**e**

b **Variieren Sie das Gespräch von 4a.**

das Kleid der Rock   das Tuch der Schal   das Hemd das T-Shirt

die Stiefel die Schuhe   das Sweatshirt der Pullover   der Hut die Mütze

Die Reaktionen

5 a Lesen Sie die Nachrichten. Wem gefällt das T-Shirt, wem der Hut?

T-Shirt und Hut neu!
😎
#trendsetter
#mode-mann

Susi	Hey cool!
Andreas	Ja, die Sachen habe ich vorgestern bestellt. Der Hut hat schon im Internet super ausgesehen. Er ist heute angekommen. 😃
Jana	Das T-Shirt habe ich gefunden und Andreas empfohlen. Er hat es sofort gekauft, es ist ja schwarz. 😁
Susi	@Jana Ja, das hast du schon erzählt. @Andreas Ich finde das T-Shirt cool, aber der Hut…! Sei nicht böse, aber du siehst ohne Hut besser aus! Ich habe auch schon online Klamotten gekauft, aber dann haben sie nicht gepasst. Ich habe alles zurückgeschickt oder umgetauscht. Das nervt!
Timo	@Andreas Das hast du super gemacht! Wo hast du den Hut entdeckt? Hast du viel bezahlt?
Andreas	@Susi Okay, ich habe verstanden, du findest den Hut doof. 😮 @Timo 29,– €.

b Lesen Sie die Nachrichten noch einmal und markieren Sie die Partizipien. Ergänzen Sie dann die Regel.

G

Verben ohne Präfix	Verben mit Präfix	
	nicht trennbar: ohne -ge-	**trennbar: mit -ge-**
finden _____	bestellen _*bestellt*_	aussehen _____
kaufen _____	empfehlen _____	ankommen _____
passen _____	erzählen _____	zurückschicken _____
machen _____	entdecken _____	umtauschen _____
	bezahlen _____	*Präfixe:* ab-, an-, auf-, aus-, ein-, mit-, zu-, zurück- …
	verstehen _____	
	Präfixe: be-, emp(f)-, ent-, er-, ge-, ver-, zer-	

6 a Betonung von Verben mit Präfix. Hören Sie. Was ist betont? Markieren Sie und kreuzen Sie an.

2.51

P3

1. bekommen – mitkommen   2. einkaufen – verkaufen   3. aufstehen – verstehen

Präfix betont: Das Verb ist ☐ trennbar. ☐ nicht trennbar.
Präfix nicht betont: Das Verb ist ☐ trennbar. ☐ nicht trennbar.

b Hören Sie und sprechen Sie nach.

2.52

1. kaufen – Ich habe ein T-Shirt gekauft.   3. einkaufen – Hast du heute schon eingekauft?
2. verkaufen – Er hat den Hut verkauft.

7 Was haben Sie gemacht? Schreiben Sie zu jeder Zeitangabe einen Satz.

heute | gestern | vorgestern | vor drei Tagen | letzte Woche

bekommen | bezahlen | verkaufen | fahren | mitbringen | machen | einkaufen | anrufen | besuchen | arbeiten | einladen | abholen | aufstehen | fernsehen

Letzte Woche bin ich nach Salzburg gefahren.

Kann ich Ihnen helfen?

◀)) 2.53

8 a **Im Geschäft. Hören Sie. Wer fragt was? Kreuzen Sie an.**

	Kunde	Verkäuferin
A Kann ich Ihnen helfen?	☐	☒
B Welche Größe brauchen Sie?	☐	☐
C Wie finden Sie den Pullover hier?	☐	☐
D Haben Sie den auch in Blau?	☐	☐
E Wie gefällt Ihnen der?	☐	☐
F Wie viel kostet er?	☐	☐
G Und? Passt Ihnen der Pullover?	☐	☐
H Haben Sie den auch in L?	☐	☐

b **Ordnen Sie die Antworten den Fragen in 8a zu. Hören Sie dann das Gespräch noch einmal.**

Green doesn't look so good on me.

_____ 1. Hm, ich weiß nicht. Grün steht mir nicht so gut.

_____ 2. Ich habe meistens XL, manchmal auch nur L.

_____ 3. Einen Moment, bitte. Hier ist er in Blau.

_____ 4. Er ist sehr günstig, nur 49,90 Euro. Probieren Sie ihn doch mal an.

_____ 5. Nicht so richtig. Er ist zu weit. Ich habe ihn wieder ausgezogen.

_____ 6. Oh ja, der ist gut.

__A__ 7. Ja, bitte. Ich suche einen Pullover.

_____ 8. Ja, ich hole ihn. Hier, bitte!

G

Personalpronomen im Dativ

ich	**mir**	wir	**uns**
du	**dir**	ihr	**euch**
er	**ihm**	sie	**ihnen**
es	**ihm**		
sie	**ihr**	Sie	**Ihnen**

Kann ich **Ihnen** **helfen**?
Der Pullover **passt** mir nicht.
Gefällt dir die Jacke?
Nein, sie **steht** mir nicht.

c **Lesen Sie die Sätze aus 8a und 8b noch einmal. Markieren Sie die Personalpronomen im Dativ und unterstreichen Sie die Verben mit Dativ.**

d **Schreiben und spielen Sie einen eigenen Dialog wie in 8a und b.**

◀)) 2.54

9 a **Shoppen. Ergänzen Sie die Dialoge. Hören Sie zur Kontrolle. Lesen Sie dann zu zweit.**

1. ○ Oh, diese Jacke gefällt _____ sehr gut.

   ● Ich glaube, sie passt _____ nicht, sie ist zu groß!
   ○ Ich probiere sie mal an.

2. ○ Können Sie _____ helfen, bitte? Die Hose gefällt

   meinem Sohn, aber sie passt _____ nicht.
   ● Einen Moment, bitte.

3. ○ Dieses Kleid steht _____ richtig gut.

   ● Ja, es gefällt _____ sehr. Aber es ist zu teuer.
   ○ Ja, schade.

b **Spielen Sie zu zweit. Würfeln Sie zwei Mal und bilden Sie Sätze oder Fragen.**

⚀	⚁	⚂	⚃	⚄	⚅
T-Shirt stehen	Hemd passen	Hose passen	Schuhe gefallen	Pulli stehen	Jacke gefallen
ich	du	er/sie	wir	ihr	sie/Sie

Beispiel: ⚃ und ⚁   _Die Schuhe gefallen ihm nicht._

Im Kaufhaus

🔊 **10 a** **Hören Sie das Gespräch. Was möchten Herr und Frau Wagner**
2.55 **kaufen? Kreuzen Sie an. Nicht alle Wörter passen.**

☐ der Kugelschreiber   ☐ das Parfüm   ☐ die Kamera

☐ das Duschgel   ☐ der Schal

☐ der Tee   ☐ die Tasse   ☐ der USB-Stick

5. Stock
Alles für den Sport / Sportkleidung /
Fitnessgeräte / Bademode / Café

4. Stock
Computer / Technik / Fotozubehör /
CDs / Elektrogeräte / Kasse

3. Stock
Mode für Kinder und Jugendliche /
Spielwaren

2. Stock
Herrenmode / Anzüge / Hemden /
Freizeitkleidung

1. Stock
Damenmode / Freizeitkleidung /
Abendkleidung / Schuhe für Sie & Ihn

Erdgeschoss
Kosmetik / Parfümerie / Uhren / Schmuck /
Schreibwaren / Bücher / Zeitschriften / Kasse

Untergeschoss
Lebensmittel / Alles für die Küche /
Haushaltswaren

b **Wo finden Herr und Frau Wagner die Produkte?**

Im zweiten Stock gibt es …

c **Sie sind im Kaufhaus in 10a und suchen verschiedene Dinge.**
Wo finden Sie was?

1. Ihre Schwester kocht gern. Sie probiert gern neue Gerichte.
2. Sie brauchen einen Bleistift und Papier.
3. Ihr Vater hat Geburtstag. Er fotografiert gern
   und seine Kamera ist kaputt.
4. Sie suchen ein Spiel für den Sohn von Freunden.
5. Sie spielen gern Tennis und brauchen Bälle.

❗ Informationen auf Tafeln verstehen
1. Suchen Sie ein Wortteil.
fotografieren → **Foto**zubehör
2. Sie finden nichts? Welche
Wörter passen noch?
Fußball: **Sport**, spielen, Hobby …
→ Alles für den **Sport**

11 a **Arbeiten Sie zu zweit. Sie suchen drei Dinge im Kaufhaus. Fragen und antworten Sie.**

💬
Entschuldigung, wo finde/kriege
ich …? / Wo gibt es …?
Ich suche … / Ich brauche … /
Haben Sie …?
Ich danke Ihnen. /
Danke für Ihre Hilfe.

Das gibt es im dritten/
vierten/fünften/… Stock.
… finden Sie im
Erdgeschoss.
Tut mir leid, das haben
wir nicht.

🔊 **Gut gesagt: Ich hab' …**
2.56 Verben in der 1. Person
Singular spricht man oft ohne
„e" am Wortende:
*Ich such' …, Ich brauch' …,
Wo find' ich …?*

🖹 **b** **Kaufhaus oder …? Wo kaufen Sie was? Arbeiten Sie mit dem Wörterbuch und sammeln Sie im Kurs.**

Bücher kaufe ich im Buchladen.

Berlin, Berlin

12 a **Lesen Sie zuerst den Infotext. Welche Überschrift passt?**

☐ Hauptstadt Berlin ☐ Trendstadt Berlin ☐ Berlin gestern und heute

Berlin ist kreativ. Die Mode-Szene ist lebendig und individuell. 600 bis 800 Modedesigner haben ein eigenes Label und oft auch ein eigenes Geschäft. Rund 1.000 Studenten gibt es an den neun Modeschulen.

Es gibt hier 20.000 Künstler, 1.100 Firmen für Film- und Fernsehproduktionen, 500 Firmen für Musikproduktion, 2.700 Architekten, 400 Fotografen und 1.300 Design-Ateliers. Für Mode- und Designfans ist Berlin auf jeden Fall sehr attraktiv.

A

Schuhladen Trippen

Hier gibt es Schuhe in allen Formen und Farben – für Schuhfans und Individualisten. Die Schuhe sehen toll aus, sind bequem und nicht nur für eine Saison. Sie finden den Flagship-Store in den Hackeschen Höfen.

B

Tausche

Taschen für alle, mit Variationen für alle. Zwölf verschiedene Taschen-Modelle in drei Größen und für jedes Modell viele verschiedene Deckel. Sie wählen Ihre Tasche nach Wetter, Jahreszeit, Aktivität und und und. Der Shop in Berlin ist am Helmholtzplatz.

C

Aus Berlin

Sie suchen originelle Geschenke? Im Kaufhaus „Ausberlin" kann man nur Sachen von Berliner Designern kaufen – für Männer, Frauen, Kinder. Einfach für jeden. Kaufhaus „Ausberlin" Karl-Liebknecht-Str. 17, gleich am Alexanderplatz!

b In Berlin unterwegs. Lesen Sie die Tipps. Zu welchen Stichpunkten passen sie? Sie finden nichts: Notieren Sie 0.

Architektur _____   Souvenirs/Geschenke _____   Schuhe _____   Bücher _____

Taschen _____   Bilder _____   Essen _____   Ausstellungen _____

Kleidung _____   Dinge für den Haushalt _____   Möbel _____   Mode _____

c Welche zwei Orte möchten Sie besuchen? Arbeiten Sie zu zweit. Recherchieren Sie eine neue Information dazu, zum Beispiel: Preise, Öffnungszeiten, Fotos ... Präsentieren Sie die neuen Informationen im Kurs.

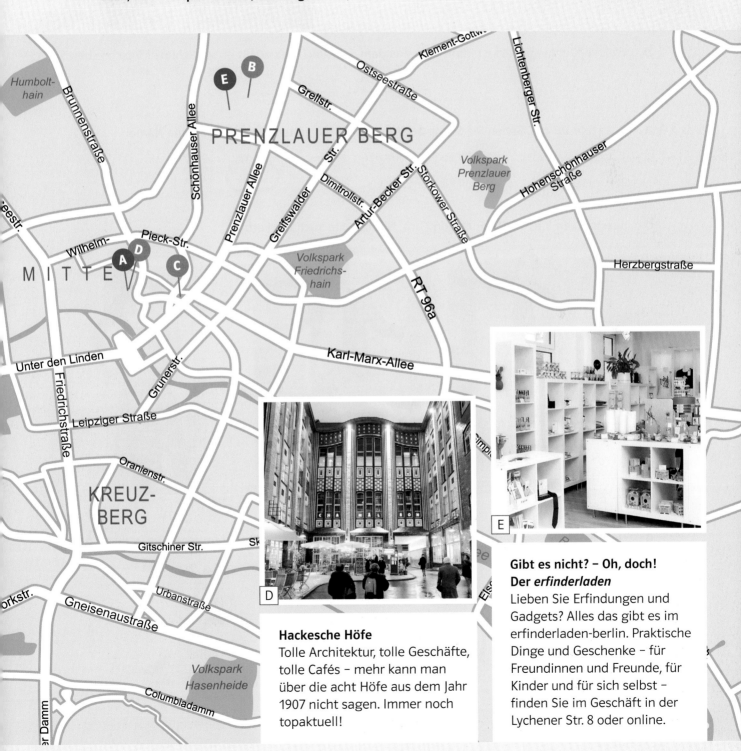

Hackesche Höfe
Tolle Architektur, tolle Geschäfte, tolle Cafés – mehr kann man über die acht Höfe aus dem Jahr 1907 nicht sagen. Immer noch topaktuell!

Gibt es nicht? – Oh, doch!
Der erfinderladen
Lieben Sie Erfindungen und Gadgets? Alles das gibt es im erfinderladen-berlin. Praktische Dinge und Geschenke – für Freundinnen und Freunde, für Kinder und für sich selbst – finden Sie im Geschäft in der Lychener Str. 8 oder online.

Die Netzwerk-WG

▷ 25 **13 a** **Was ziehe ich an?** Sehen Sie Szene 25. Wie geht es Max? Was will er machen?

zur Arbeit gehen | zu einer Party gehen | ins Kino gehen | zum Sport gehen

b Welche Kleidungsstücke nimmt Max aus dem Schrank? Was wählt er am Schluss? Beschreiben Sie.

Max nimmt …

▷ 26 **14 a** **Das steht dir gut.** Sehen Sie Szene 26. Wer will wohin gehen? Ergänzen Sie die Namen.

1. _____ will zu einer Hochzeit gehen.

2. _____ will klettern gehen.

b Beschreiben Sie die Kleidung von Luca. Nennen Sie auch die Farben.

A   B   C

c Was denkt die Nachbarin? Was denkt Max? Arbeiten Sie zu zweit und notieren Sie je einen Satz.

d Und Sie? Was ziehen Sie auf einer Hochzeit an? Erzählen Sie.

über Kleidung sprechen

○ Sieh mal, der Mantel ist doch toll, oder?
○ Na, dieser hier.

○ Welche Jacke meinst du? Diese?
○ Oh ja, gut, dann nehme ich die Jacke.

● Welcher denn?
● Findest du? Also, ich finde diese Jacke hier viel besser.
● Ja, genau.

Gespräche beim Kleiderkauf führen

Verkäufer

Kann ich Ihnen helfen?
Wie gefällt Ihnen dieser Pullover?
Welche Größe haben/brauchen Sie?
Passt Ihnen der Pullover?

Diese Jacke passt/steht Ihnen gut.

Kunde

Ich suche einen Pullover.
Sehr gut. / Nicht so gut.
Ich glaube, L oder XL.
Nein, er ist zu klein/groß/eng/weit/kurz/lang.
   Haben Sie ihn auch in L?
Ich weiß nicht. Grün gefällt mir nicht (so gut).

sich im Kaufhaus orientieren

Entschuldigung, wo finde/kriege ich …? /
   Wo gibt es …?

Ich suche … / Ich brauche … / Haben Sie …?
Ich danke Ihnen. / Danke für Ihre Hilfe.

Das gibt es im dritten/vierten/fünften/…
   Stock. / … finden Sie im Erdgeschoss/
   Untergeschoss.
Tut mir leid, das haben wir nicht.

Interrogativartikel: *Welcher? Welches? Welche?*

	Nominativ	Akkusativ	Dativ
der Mantel	Welch**er**?	Welch**en**?	Welch**em**?
das Kleid	Welch**es**?	Welch**es**?	Welch**em**?
die Jacke	Welch**e**?	Welch**e**?	Welch**er**?
die Schuhe	Welch**e**?	Welch**e**?	Welch**en**?

Demonstrativartikel: *dieser, dieses, diese*

Nominativ	Akkusativ	Dativ
dies**er**	dies**en**	dies**em**
dies**es**	dies**es**	dies**em**
dies**e**	dies**e**	dies**er**
dies**e**	dies**e**	dies**en**

Verben mit Dativ

gefallen	Der Pullover **gefällt** mir sehr gut.
stehen	Die Schuhe **stehen** ihm nicht.
passen	Die Jacke **passt** ihr nicht.
helfen	Kann ich Ihnen **helfen**?

Personalpronomen im Dativ

ich	**mir**	wir	**uns**
du	**dir**	ihr	**euch**
er	**ihm**	sie	**ihnen**
es	**ihm**		
sie	**ihr**	Sie	**Ihnen**

Partizip II: Verben mit Präfix

trennbare Verben		**nicht trennbare Verben**	
ankommen	ist an**ge**kommen	bezahlen	hat bezahlt
umtauschen	hat um**ge**tauscht	empfehlen	hat empfohlen
anziehen	hat an**ge**zogen	erzählen	hat erzählt

trennbare Präfixe:
*ab-, an-, auf-, aus-, ein-,
mit-, zu-, zurück- …*

nicht trennbare Präfixe:
*be-, emp(f)-, ent-, er-,
ge-, ver-, zer-*

Ab in den Urlaub!

A ☐

B ☐

1 a **Sehen Sie die Fotos an. Welcher Urlaub passt? Ordnen Sie zu.**

1. Badeurlaub an der Nordsee
2. Stadturlaub in Basel

3. Campingurlaub am Chiemsee
4. Ski- oder Snowboard-Urlaub in den Alpen

▶ 27 **b** **Packen Sie die Reisetaschen. Was kommt in welches Gepäck? Notieren Sie.**

der Löffel / die Gabel / das Messer   der Badeanzug   der Bikini

die Winterjacke   die Seife   die Handtasche   der Schlafsack

die Regenjacke   das Geschirr   die Badehose   das Zelt

die Handschuhe   die Sonnencreme   die Sonnenbrille   der Regenschirm

der Reiseführer   der Helm   das Handtuch

12

C ☐

D ☐

🔊 **2 a** **Koffer packen. Hören Sie das Gespräch. Wohin wollen Katharina und Johannes fahren?**
2.57 **Welches Foto aus 1a passt?**

b **Hören Sie noch einmal. Was packt Katharina ein? Machen Sie Notizen.**

c **Was braucht Katharina für ihren Urlaub noch? Sammeln Sie.**

d **Spielen Sie „Kofferpacken".**

*Ich fahre in Urlaub und
packe eine Hose ein.*

*Ich fahre in Urlaub und packe
eine Hose und einen Pulli ein.*

*Ich fahre in Urlaub und packe
eine Hose, einen Pulli und ... ein.*

Ich fahre ...

Städtereise

3 a Urlaub in einer Stadt. Was möchten Sie machen? Erzählen Sie.

ein Museum besuchen | die Altstadt besichtigen | in ein Café gehen | eine Stadtführung machen |
ins Theater gehen | in einen Club gehen | Souvenirs kaufen | …

Ich möchte eine Stadtführung machen und …

🔊 2.58

b In Basel im Hotel. Hören Sie das Gespräch. Welche Vorschläge hören Sie? Kreuzen Sie an.

Restaurant Löwenzorn   Vitra Design Museum   Oldtimer-Tram   Altstadt in Basel

☐ in der Altstadt spazieren gehen   ☐ ins Restaurant gehen   ☐ Museen besichtigen
☐ eine Stadttour mit der Tram machen   ☐ eine Bergtour machen   ☐ ein Theater besuchen

c Lesen Sie die Regel. Erzählen Sie: Was kann man in Basel machen?

*Man kann in der Altstadt
spazieren gehen.*

Man kann …

 G

Pronomen *man*
man + Verb in der 3. Person Singul.
Was **kann man** in Basel machen?
Man kann Museen besichtigen.

d Hören Sie noch einmal das Gespräch in 3b. Berichten Sie über die Pläne von Katharina und Johannes.

| zuerst | dann | danach | später | zum Schluss |

Zuerst wollen Katharina und Johannes … Dann …

▶ 28   **e Ein Tag in Basel. Was wollen Sie machen? Recherchieren und berichten Sie.**

🔊 2.59

4 a Der Weg zur Stadttour. Hören Sie und ergänzen Sie die Wegbeschreibung.

**Route zum
Centralbahnplatz Basel**

einsteigen _____ Bankverein

Tram Nr. ____ / ____

_____ Haltestelle Centralbahnplatz

ohne Umsteigen

 !

die Straßenbahn ⇒
die Tram (Süd-D/A
oder das Tram (CH

b **Beschreiben Sie den Weg von Ihrem Sprachinstitut zu einer Attraktion in Ihrem Ort.**

Zum Museum/Bahnhof/Park/Rathaus/… fährt man mit dem Bus /
der U-Bahn / … Nummer … Man kann auch den Bus / … benutzen.
Man steigt an der Haltestelle … ein.
Am …platz / An der Haltestelle … steigt man um. Dann nimmt man …
Der Park / Das Museum / … ist an der Haltestelle …

*Man fährt vom
Sprachinstitut mit dem Bus
Nummer 3. Dann …*

5 a **Die Postkarte. Was schreiben Katharina und Johannes? Beantworten Sie die Fragen.**

1. Wie finden sie Basel?   2. Was haben sie gemacht?   3. Was machen sie morgen?

Liebe Tante Rosa,
lieber Onkel Gerd,

in Basel ist es sehr schön,
denn man kann hier sehr viel
machen: Wir haben heute das
Vitra Design Museum besucht
und eine super Stadttour
gemacht.
Morgen machen wir einen
Spaziergang im Zoo und gehen
ein bisschen shoppen. ☺

Bis bald und viele Grüße
Katharina und Johannes

Rosa und Gerd Bacher
Am Seehafen 27
18147 Rostock
Deutschland

b **Beim Stadturlaub. Was passt zusammen?**
Verbinden Sie die Sätze mit *denn*.

1. Die Stadt ist toll.
2. Ich mag das Museum.
3. Wir essen sehr viel.
4. Abends sind wir müde.

A Es gibt viele gute Restaurants.
B Wir haben viel gesehen und
   gemacht.
C Man kann viel machen.
D Kunst gefällt mir.

G

Sätze verbinden: *denn*

Warum?
Die Stadt ist toll, **denn** man kann viel machen.

1 C Die Stadt ist toll, denn man kann viel machen.

6 a **In welche Stadt in D-A-CH möchten Sie fahren?**
Arbeiten Sie zu zweit. Recherchieren Sie Informationen:
Welche Sehenswürdigkeiten gibt es? Was kann man
in der Stadt machen? Berichten Sie.

In … gibt es …
Man kann hier / in … sehr gut …
Im Sommer/Winter kann man …
Eine Sehenswürdigkeit ist …

b **Lesen Sie die Postkarte in 5a noch einmal und markieren Sie wichtige Ausdrücke. Schreiben Sie dann**
mit den Informationen aus 6a eine Postkarte aus „Ihrer" Stadt.

Wie war's?

7 a **Lesen Sie die Reiseberichte. Welche Überschriften passen?**

1. Tipps für München
2. Müde im Zug
3. Im Sommer ans Meer
4. Der Weg zur Jugendherberge
5. Mit dem Fahrrad nach Kassel
6. Sommer in der Stadt

Reiseberichte

Laura94   A _____

Meine Freundin Tina und ich waren im August in München –
schöne Geschäfte und viele, viele Sehenswürdigkeiten! Wir hatten
ein Zimmer in einer Jugendherberge etwas außerhalb, sauber und
günstig. Wir waren seit dem Frühstück in der Stadt unterwegs
und am Abend waren wir echt k.o. Aber wir haben nicht mehr zur
Jugendherberge gefunden! Unsere Handy-Akkus waren leer, also
hatten wir kein Internet und die Adresse hatten wir auch nicht.
Zuerst war das noch lustig, aber nach einer Stunde nicht mehr!
In der Nacht haben wir dann einen Taxifahrer gefragt – er hat uns
geholfen und Auskunft gegeben! Mann, waren wir froh!

Bernd98   B _____

Im Herbst waren vier Freunde und ich eine Woche an der Ostsee.
Von Stralsund sind wir 300 km mit dem Fahrrad bis nach Lübeck
gefahren. Wir haben in Pensionen übernachtet und sind immer
direkt nach dem Frühstück losgefahren. Die Tour war total schön,
aber auch anstrengend. Nach einer Woche sind wir mit dem Zug
wieder nach Hause gefahren. Wir waren alle total müde, haben
geschlafen und dann tatsächlich unseren Bahnhof verpasst.
Erst vor der Ankunft in Kassel hat uns der Schaffner geweckt!
Wir haben dann in Kassel kurz Bekannte besucht und sind dann
150 Kilometer zurückgefahren … mit dem Zug natürlich. 😊

b **Lesen Sie Text A noch einmal und beantworten Sie die Fragen.**

1. Wo hat Laura Urlaub gemacht?
2. Wann war sie dort?
3. Mit wem ist Laura in Urlaub gefahren?
4. Wie war die Jugendherberge?
5. Warum haben sie nicht zurückgefunden?
6. Wer hat ihnen geholfen?

Laura hat in München Urlaub gemacht.

c **Lesen Sie Text B noch einmal. Ergänzen Sie die Fragewörter und
beantworten Sie die Fragen. Vergleichen Sie dann zu zweit.**

1. *Wann* _____ waren Bernd und seine Freunde in Stralsund?
2. _____ haben sie zusammen gemacht?
3. _____ hat die Tour gedauert?
4. _____ sind sie nicht in Hannover ausgestiegen?
5. _____ hat sie geweckt?
6. _____ haben sie in Kassel getroffen?

G

Fragewörter

	Person	Sache
Nominativ	**Wer?**	**Was?**
Akkusativ	**Wen?**	**Was?**
Dativ	**Wem?**	

Weitere Fragewörter
Wo? Wohin? Woher? (Ort)
Wann? Wie lange? (Zeit)
Wie? (Art und Weise)
Warum? (Grund)

d Lesen Sie den Bericht von Christian und schreiben Sie zu zweit sechs Fragen. Tauschen Sie dann mit einem anderen Paar die Fragen und antworten Sie.

Christian_Schneefan97 ☒

Im Winter bin ich mit meiner Freundin zum Skifahren nach Salzburg geflogen. Nach der Ankunft ist es passiert: Ich habe den falschen Koffer genommen. Mein Koffer ist schwarz wie ganz viele …! Ich habe das erst am Abend im Hotel gemerkt. Ich habe den Koffer aufgemacht, aber die Sachen haben nicht mir gehört: Da waren nur T-Shirts und Badehosen! Ab dem Moment war ich total faul, denn ich habe auf meinen Koffer gewartet – in der Zeit habe ich einfach im Zimmer gechillt und Filme und Videos geschaut. Nach zwei Tagen war der Koffer da, das Wetter war wunderbar und ich bin viel Ski gefahren. Seit vier Wochen sind wir wieder zu Hause. Vor der nächsten Reise kaufe ich einen Koffer – in Grün! Das ist meine Lieblingsfarbe! 😊

8 a Arbeiten Sie zu dritt. Jede/r liest einen Text aus 7a und d und markiert alle Zeitangaben mit Präpositionen. Ordnen Sie die Zeitangaben dann in eine Tabelle.

> **G**
>
> Zeitangaben:
> Präpositionen mit Dativ
> ab, an, in, nach, seit, vor
> ab **dem** Moment
> **im** August

ab	*an*	*in*	*nach*	*seit*	*vor*
		im August			

b Wann machen Sie was? Verbinden Sie und schreiben Sie Sätze.

ab | an | in | nach | seit | vor

Frühstück | Kurs | Sommer | Geburtstag | Wochenende | Dezember | Urlaub | Flug | Ausflug | Prüfung

Vor dem Frühstück dusche ich.

✎ **9** Schreiben Sie einen Bericht von einer (Fantasie-)Reise. Hängen Sie alle Berichte im Kurs auf. Welcher Text ist besonders interessant oder lustig?

🔊💬 **10 a** *f, v, w.* Hören Sie die Wörter. Hören Sie *f* wie in *finden* oder *w* wie in *wohnen*? Kreuzen Sie an und ergänzen Sie die Regel. Sprechen Sie dann nach.

2.60

▶ P4

1. vorstellen [f] [w]
2. Frühstück [f] [w]
3. warten [f] [w]

4. vor [f] [w]
5. Video [f] [w]
6. Film [f] [w]

7. vier [f] [w]
8. wir [f] [w]
9. viele [f] [w]

v spricht man meistens als _____ wie in _____ .

🔊💬 **b** Lesen Sie die Sätze laut. Hören Sie zur Kontrolle.

2.61

1. Der Fotograf fährt nach Frankfurt.
2. Wir wollen im Winter wandern.
3. Volker vergisst immer das Verb „verkaufen" auf Spanisch.
4. Wollen wir vier vielleicht im Februar nach Wien fahren?

c Schreiben Sie zu zweit Sätze wie in 10b. Arbeiten Sie mit der Wortliste im Anhang.

Immer dieses Wetter!

11 a Himmelsrichtungen. Wo liegen die Städte in Deutschland? Arbeiten Sie in Gruppen. Suchen Sie auf der Karte vorne im Buch die Städte und notieren Sie *im Norden, im Osten, im Süden, im Westen* oder *in der Mitte*. Wer ist zuerst fertig?

Leipzig	Freiburg	Lübeck	Düsseldorf	Erfurt	Trier
Kassel	Bremen	Stuttgart	Berlin	Rostock	Dresden

Leipzig: im Osten

b Lesen Sie die Urlaubsnachrichten und ordnen Sie die Wetterberichte zu. Wer macht wo Urlaub?

← Anna

Heute sind wir zur Burg gegangen. Der Blick auf die Stadt und die Berge war so toll! Sonnig, warm und kein Wind – ein Traum!

← Leo

Brrr – so kalt hier (4 Grad minus) 😮 und es schneit! Zum Glück gibt es Museen und Cafés! ☕

← Sebastian

Heute haben wir Pech: Das Wetter ist nicht gut, denn es regnet und regnet. Wir haben viel Zeit zum Shoppen! ☺ Morgen scheint hoffentlich die Sonne!

← Barbara

Wir waren den ganzen Tag in der Stadt – das Wetter war schön: warm, sonnig und nur ein paar Wolken.

ROSTOCK sonnig-bewölkt 18 Grad

FREIBURG Regen 12 Grad

SALZBURG sonnig 15 Grad

ZÜRICH Schnee -4 Grad

c Lesen Sie die Texte in 11b noch einmal und markieren Sie alle Wörter zum Thema „Wetter". Notieren Sie.

1. die *Wolke*, es ist bewölkt
2. der Regen, es _____
3. ☀ die _____ scheint, es ist sonnig
4. der Schnee, es _____
5. vier _____ plus/_____
6. der _____, es ist windig

d Wie ist das Wetter bei Ihnen? Welche Jahreszeiten gibt es? Erzählen Sie.

Es ist warm/kalt/heiß/windig/bewölkt/sonnig. Die Sonne scheint. / Es regnet/schneit. Wir haben im Sommer/Winter … Grad minus/plus. In … ist es immer/oft/manchmal/selten/nie …

2.62

Bei uns ist es im Sommer oft …

Gut gesagt: Wetter

Mann, ist das heiß! So eine Hitze!

So ein Mistwetter! Es schüttet!

Reiseziele in Deutschland

12 a **Berge, Meer oder Stadt? Welche Reiseziele kennen Sie in Deutschland? Erzählen Sie.**

Ich kenne Berlin, dort war ich schon einmal.
In Berlin habe ich …

b **Wo machen die Deutschen gern Urlaub? Arbeiten Sie zu dritt. Jede/r liest einen Abschnitt A, B oder C und beantwortet die Fragen.**

1. Wohin fahren die Deutschen gern?

2. Was machen sie dort?

Urlaub zu Hause ist in!

Die Deutschen reisen gern und viel, ins Ausland und auch in Deutschland. Dort machen 35 % Urlaub.

B Städtereisen sind bei den Deutschen sehr beliebt. Nummer eins ist natürlich Berlin, die Hauptstadt, aber auch Hamburg, München, Dresden und Köln sind populär. In den Städten gibt es viele Angebote für Kultur, aber auch viel Natur in den Parks – so ist der Urlaub nicht langweilig.

A Nord- oder Ostsee? Die Deutschen fahren gern in den Norden von Deutschland und machen Urlaub am Meer oder auf einer Insel. Dort kann man schwimmen, Sport machen und einfach den Urlaub genießen. Es ist nicht so warm wie im Süden, aber die Landschaft und die Strände sind wunderschön.

C Die Berge in Deutschland sind vielleicht nicht so hoch, aber zum Wandern, Ski fahren und Natur genießen sind sie perfekt. Die Deutschen fahren zum Beispiel gern nach Garmisch-Partenkirchen oder Berchtesgaden. Viel Bewegung, schöne Dörfer und gutes Essen – ein Traumurlaub!

c **Berichten Sie von Ihrem Abschnitt.**

Ich habe Abschnitt A gelesen.
Die Deutschen fahren gern …

> **!**
> **Über einen Text berichten**
> Markieren Sie wichtige Informationen im Text. W-Fragen helfen. Ordnen Sie die Informationen und berichten Sie.

13 a **Wohin fahren die Menschen in Ihrem Land besonders gern? Recherchieren Sie und schreiben Sie einen Text. Zeigen Sie auch Fotos.**

b **Machen Sie eine Ausstellung im Kurs.**

Die Netzwerk-WG

▶ 27 **14 a** *Endlich Ferien!* **Sehen Sie Szene 27 und beantworten Sie die Fragen.**

1. Was macht Bea?
2. Was sagen Anna und Max zu Bea?
3. Was machen Anna und Max?
4. Wie viel kostet eine Woche auf dem Bauernhof?

Bremen

Ferien auf dem Bauernhof

b **Was nehmen Anna und Max mit? Sehen Sie die Szene noch einmal und notieren Sie so viele Dinge wie möglich. Vergleichen Sie dann im Kurs.**

▶ 28 **15 a** *Auf dem Bauernhof.* **Sehen Sie Szene 28 und ordnen Sie die Dialoge.**

A Na toll, hier ist es aber sehr ruhig. | B Ja, finde ich auch. Es ist richtig schön hier. | C Ziemlich langweilig. Was machen wir die ganze Zeit? | D Aber viel zu viel Stress. Mir gefällt es eigentlich richtig gut hier. Die Natur, die Ruhe … | E Bremen ist wirklich toll!

A

○ _____

● _____

B

● _____

○ _____

● _____

b **Sehen Sie die Szene noch einmal. Was hat Bea in Bremen gemacht? Ordnen Sie die Fotos in die richtige Reihenfolge und beschreiben Sie sie zu zweit.**

an der Weser sitzen | im Stadtviertel Schnoor sein und Eis essen | das Rathaus besuchen | im Museum sein

A ___

B ___

C ___

D ___

▶ **16 a** **Sehen Sie den Film noch einmal. Was passiert? Sprechen Sie zu zweit.**
27–28

Bea fährt …
Anna und Max wollen …
Am Anfang finden Anna und Max den Urlaub …
Bea schickt … und …
Am Ende finden Anna und Max …

b **Wo möchten Sie Urlaub machen: in einer Stadt oder auf dem Bauernhof? Warum? Sprechen Sie.**

einen Weg beschreiben

Zum Bahnhof/Museum/Rathaus / Zur Sprachschule/… fährt man mit der U-Bahn /
   dem Bus / … Nummer … Man kann auch den Bus / … benutzen.
Man steigt an der Haltestelle … ein.
Am …platz / An der Haltestelle … steigt man um. Dann nimmt man …
Der Park / Das Museum / … ist an der Haltestelle …

eine Postkarte schreiben

Anrede	Hallo …, / Liebe …, / Lieber …,
Urlaubsort	herzliche Grüße aus …
	in … ist es sehr schön/toll/…
	hier ist es toll/super/…, denn …
	hier gibt es viele Sehenswürdigkeiten.
	es ist (sehr) schön (hier).
Aktivitäten	Heute haben wir … besucht und … gemacht.
	Man kann hier sehr viel machen: …
	Morgen machen/gehen/fahren wir …
Gruß	Herzliche/Viele Grüße … / Bis bald und viele Grüße …

eine Reihenfolge beschreiben

Zuerst machen wir eine Stadttour. **Dann** gehen wir ins Museum. **Danach** trinken wir einen Kaffee.
Später gehen wir in ein Restaurant und **zum Schluss** fahren wir ins Hotel.

das Wetter beschreiben

Das Wetter ist schön / nicht gut.
Es ist windig/bewölkt.
Es regnet/schneit.

Es ist warm/kalt/heiß.
Es ist sonnig. / Die Sonne scheint.
Wir haben oft … Grad minus/plus.

Pronomen *man*

man + Verb in der 3. Person Singular: In Basel **kann** man sehr viel machen.
                                        Man **kann** in der Altstadt spazieren gehen.

Sätze verbinden: *denn*

Die Stadt ist toll, **denn** man kann viel machen.

Fragewörter

Frage nach	Nominativ	Akkusativ	Dativ	Frage nach	
Person	Wer?	Wen?	Wem?	Ort	Wo? Wohin? Woher?
Sache	Was?	Was?		Zeit	Wann? Wie lange?
				Art und Weise	Wie?
				Grund	Warum?

Zeitangaben: Präpositionen mit Dativ

ab	**ab dem** Moment	**nach**	**nach dem** Urlaub
an	**am** Montag	**seit**	**seit einer** Woche
in	**im** August	**vor**	**vor der** Reise

Wiederholungsspiel

1 a   **Ein Urlaubstag. Spielen Sie zu zweit und wählen
Sie ein Reiseteam A, B, C oder D. Wählen Sie zwei
Situationen und bereiten Sie zu zweit ein Rollenspiel
für Ihre Reise vor. Machen Sie Notizen.**

b   **Spielen Sie die Situationen abwechselnd vor.
Sprechen Sie frei.**

Reiseteam A macht eine
Städtereise.

Situation 1

Sie fahren in den Urlaub und müssen Ihren
Koffer packen. Sprechen Sie mit Ihrem Partner /
Ihrer Partnerin. Was nehmen Sie mit?

die Badesachen | der Schlafsack |
die Sonnenbrille | der Reiseführer |
die Regenjacke | …

> Was nimmst du mit?
> Was brauchen wir noch?

> Meinst du, wir brauchen auch …?
> Nehmen wir auch … mit?

Situation 2

Sie möchten ein Souvenir kaufen. Was passt?
Sprechen Sie mit Ihrem Partner / Ihrer
Partnerin.

die Tasse | die Tasche | das T-Shirt |
das Handtuch | die Süßigkeiten |
das Buch | …

> Schau mal, … sieht toll aus!
> Das ist perfekt für …!

> Nein, das gefällt mir nicht.
> Ich finde … besser.
> Ja, super. Das nehmen wir.

Reiseteam B macht
Urlaub bei Verwandten.

Reiseteam C macht einen
Strandurlaub.

Reiseteam D macht einen
Campingurlaub.

Situation 3
Sie planen den Tag gemeinsam. Sprechen
Sie mit Ihrem Partner / Ihrer Partnerin.
Was möchten Sie machen? Wann?

Situation 4
Sie sind abends in einem Restaurant und
sprechen mit Ihrem Partner / Ihrer Partnerin
über Ihren Urlaubstag.

Die Sonne scheint. / Es regnet /
Es ist warm/kalt/heiß.
Wir können … / Ich habe eine
Idee: …
Zuerst … Dann … Später …

Dazu habe ich (keine) Lust.
Wollen wir nicht …?
Zuerst … Dann … Später …
Gute Idee! / Das ist gut.

Wie hat dir … gefallen?
Der Ausflug war toll, oder?
Das Wetter war perfekt / nicht so
gut.

… hat viel Spaß gemacht.
… hat mir gut/nicht gefallen.
… war super/spannend/schön/
langweilig/…

Wortspiele

2 **Was hast du gestern gemacht? Zuerst, dann, danach … – Sprechen Sie zu dritt. Person A wählt fünf Aktivitäten und erzählt. Person B berichtet Person C. Wechseln Sie dann.**

zuerst	meine Freundin	ein Buch	gelesen	gegangen
dann	zum Sprachkurs	im Fitness-Studio	gekocht	gemacht
danach	Musik	einen Film	gesprochen	trainiert
später	für die Uni	meine Eltern	geredet	bestellt
zum Schluss	eine E-Mail	eine Pizza	gesehen	gefahren
	einen Kaffee	einen Pullover	besucht	getroffen
	am Computer	im Büro	gearbeitet	telefoniert
	einen Freund	nach Hause	gespielt	umgetauscht
	eine Jacke im Internet	Sport	gekauft	getrunken
	mit Kollegen	Abendessen	gegessen	geschrieben
	ins Kino	Obst und Gemüse	gelernt	angerufen
			gehört	eingekauft

Zuerst habe ich meine Eltern besucht. Dann habe ich Sport gemacht. Danach habe ich eine Pizza gegessen. Später bin ich … Zum Schluss …

Also, zuerst hat Ralph seine Eltern besucht. Dann hat er Pizza gegessen. Danach …

Nein, das stimmt nicht. Zuerst hat er … und dann …

3 a **Wählen Sie fünf Antworten und notieren Sie passende Fragen.**

1. Im Sommer.
2. Vor dem Unterricht.
3. Nach dem Abendessen.
4. Am Abend.
5. Am Wochenende.
6. Im April.
7. Ab Montag.
8. Im Winter.
9. Um elf Uhr.
10. Seit drei Monaten.
11. Seit gestern.
12. Nach dem Frühstück.

2. Wann frühstückst du?

b **Gehen Sie durch den Kursraum. Fragen und antworten Sie.**

Seit wann lernst du Deutsch?

Seit drei Monaten.

4 **Zwei Paare spielen gegeneinander. Würfeln Sie. Notieren Sie zu dem Thema so viele Wörter wie möglich. Sie haben zwei Minuten Zeit. Welches Paar hat mehr Wörter? Spielen Sie drei Runden.**

⚀	⚁	⚂	⚃	⚄	⚅
Arbeit und Beruf	Urlaub	Kleidung und Shoppen	Wohnung	Stadt	Körper und Gesundheit

Die Kollegen helfen

5 a **Andrea schreibt vor dem Urlaub eine Mail an ihre Kollegen. Markieren Sie: Was sollen Anna und Daniel machen?**

Liebe Anna, lieber Daniel, ☒

danke für eure Hilfe. Ich bin ab morgen im Urlaub und in einer Woche wieder in der Arbeit. Leider habe ich diese Woche nicht alles geschafft.

Für unser Projekt mit der Firma „Lele" ist die Präsentation noch nicht fertig. Könntet ihr sie bitte mit dem Chef besprechen? Die Powerpoint schicke ich euch mit.

Nach der Besprechung mit dem Chef müsst ihr auch noch Frau Peschl anrufen. Sie hat noch Fragen zur Bestellung und war heute nicht im Büro.

Bitte denkt auch an den Geburtstag vom Chef – wir brauchen noch ein Geschenk. Wir haben vierzig Euro gesammelt. Habt ihr eine Idee? Er fährt ja täglich mit dem Fahrrad in die Arbeit – vielleicht kaufen wir ihm Fahrrad-Handschuhe und eine Lampe. Oder doch einfach nur Blumen?

Und noch eine Bitte: Miguel aus der Marketing-Abteilung hat Info-Material für uns. Könnt ihr das abholen? Ich brauche es am Montag.

Tausend Dank und bis Montag

Andrea

b **Arbeiten Sie zu zweit. A liest die Mail von Anna, B liest die Mail von Daniel. Welche Aufgaben von Andrea haben sie gemacht? Notieren Sie in Stichpunkten.**

Hallo Andrea, ☒

hoffentlich war dein Urlaub toll! In der Arbeit ist es im Moment echt stressig. Ich war heute bei Miguel, aber er ist leider krank – das Material habe ich also nicht bekommen. Aber deine Präsentation habe ich weitergemacht. Deine Ideen waren sehr gut und ich habe noch Infos und Bilder ergänzt.

Mit dem Chef haben Daniel und ich zusammen gesprochen. Er findet die Powerpoint gut und du musst nichts mehr machen. Ich zeige sie dir dann gleich am Montag.

Jetzt muss ich zu einem Termin.

Viele Grüße

Anna

Hi Andrea, ☒

die Besprechung mit dem Chef war super! Er findet die Präsentation gut. Ich habe auch noch mit Frau Peschl telefoniert. Wir haben alles besprochen und sie hat die Bestellung schon geschickt.

Gestern war ich noch in der Stadt und habe Fahrradsachen gesucht. Leider habe ich keine Handschuhe gefunden. Ich habe dann ein Buch gekauft: „Mit dem Fahrrad um die Welt". Das gefällt ihm bestimmt!

Die Feier ist ja erst am Mittwoch. Kannst du dann noch Blumen kaufen? Ich habe am Dienstag keine Zeit.

Bis Montag und liebe Grüße

Daniel

schon gemacht: _____

_____

_____

schon gemacht: _____

_____

_____

c **Vergleichen Sie Ihre Stichpunkte mit der Mail von Andrea in 5a. Was muss Andrea am Montag noch machen?**

Eine Reise durch D-A-CH

6 a Das Länderquiz. Wie gut kennen Sie Deutschland, Österreich und die Schweiz? Arbeiten Sie zu dritt und lesen Sie die Fragen. Einigen Sie sich auf eine Antwort.

1. Wie heißt die Hauptstadt von Deutschland?

A ☐ Stuttgart   B ☐ Berlin   C ☐ Frankfurt

2. Wie viele Menschen wohnen in Deutschland?

A ☐ 82,8 Millionen   B ☐ 213,1 Millionen   C ☐ 38,9 Millionen

3. Ein Foto aus ... Wo ist das? Ordnen Sie zu.

A München: _____   B Hamburg: _____   C Berlin: _____

4. Welche Länder sind Nachbarländer von Deutschland?

A ☐ Italien und Belgien   B ☐ Niederlande und Ungarn   C ☐ Frankreich und Polen

5. Das isst man in ... Notieren Sie D für Deutschland, A für Österreich und CH für die Schweiz.

A Rösti: _____   B Germknödel: _____   C Currywurst: _____

6. Wie heißt die Hauptstadt von der Schweiz?

A ☐ Genf   B ☐ Bern   C ☐ Zürich

7. Was sind die offiziellen Sprachen in der Schweiz?

A ☐ Englisch, Italienisch, Französisch, Deutsch
B ☐ Spanisch, Deutsch, Italienisch, Französisch
C ☐ Deutsch, Französisch, Italienisch, Rätoromanisch

8. Wie viele Menschen leben in der Schweiz?

A ☐ 8,4 Millionen
B ☐ 12,3 Millionen
C ☐ 18,9 Millionen

9. Wie heißt die Hauptstadt von Österreich?

A ☐ Wien
B ☐ Salzburg
C ☐ Innsbruck

10. Welche Flagge gehört zu Österreich?

A ☐
B ☐
C ☐

11. Wie viele Menschen leben in Österreich?

A ☐ 3,3 Millionen
B ☐ 8,8 Millionen
C ☐ 15,8 Millionen

12. Wien. Welches Foto passt nicht?

A
B
C

Prater
Schloss Schönbrunn
Potsdamer Platz

b Vergleichen Sie Ihre Antworten mit den Lösungen auf der letzten Seite im Buch. Für jede richtige Antwort bekommt Ihr Team einen Punkt. Das Team mit den meisten Punkten hat gewonnen.

c Schreiben Sie drei eigene Quizfragen zu Deutschland, Österreich oder der Schweiz. Sie können im Internet und im Kursbuch Kapitel 1–12 recherchieren. Tauschen Sie die Fragen im Kurs aus.

Sätze

Aussagesätze

Position 1	Position 2		Satzende
Niklas	wohnt	in Hamburg.	
Wir	können	nicht ins Kino	gehen.
Wir	holen	Sofia	ab.
Daniel	hat	sechs Stunden	gelernt.
Claudia	ist	zur Arbeit	gefahren.

Im Aussagesatz steht das konjugierte Verb auf Position 2.

Position im Satz

Position 1	Position 2	
Lina	isst	morgens Müsli.
Morgens	isst	Lina Müsli.

Im Aussagesatz steht das Subjekt vor oder nach dem Verb.

W-Fragen

Position 1	Position 2		Satzende	
Wie	heißen	Sie?		Ich heiße Oliver Hansen.
Welche Sprachen	sprichst	du?		Spanisch und Deutsch.
Wen	hast	du zur Party	eingeladen?	Meine Freunde.
Wann	kannst	du	kommen?	Um acht.
Was	bringst	du	mit?	Ich bringe einen Kuchen mit.

In der W-Frage steht das W-Wort auf Position 1. Das konjugierte Verb steht auf Position 2.

Ja-/Nein-Fragen

Position 1	Position 2		Satzende	
Gehen	wir	ins Kino?		Ja.
Haben	Sie	Frau Petrovic	angerufen?	Nein, leider nicht.
Musst	du	heute nicht	arbeiten?	Doch.
Kommt	ihr	am Samstag	mit?	Ja, gern.

In der Ja-/Nein-Frage steht das konjugierte Verb auf Position 1. Das Subjekt steht auf Position 2.

Antworten auf Ja-/Nein-Fragen

	👍	👎
Hast du einen Termin?	Ja.	Nein.
Hast du **keinen** Termin?	**Doch.**	Nein.
Kommst du **nicht** mit?		

Imperativsätze

K3, K8

Trinken	Sie	viel Wasser!	
Geh		früh ins Bett!	
Steht		bitte	auf!

Position 1		Satzende	

Im Imperativsatz steht das konjugierte Verb auf Position 1.

Sätze verbinden

und, oder, aber

K7

Satz 1				Satz 2		
Ich	bin	in Köln	**und**	(ich)	mache	ein Praktikum.
Ich	telefoniere		**oder**	(ich)	arbeite	am Computer.
Die Firma	ist	klein,	**aber**	sie	hat	viele Kunden.

denn

K7

		Warum?
Die Stadt ist toll,	**denn**	man kann viel machen.
Ich mag das Museum,	**denn**	Kunst gefällt mir.

Verb

Präsens: Konjugation

K1, K2, K6

	wohnen	**arbeiten**	**heißen**	**ab|holen**	**sprechen***	**fahren****	**Endung**
ich	wohn**e**	arbeit**e**	heiß**e**	hol**e** ab	sprech**e**	fahr**e**	**-e**
du	wohn**st**	arbeit**est**	heiß**t**	hol**st** ab	spr**i**ch**st**	f**ä**hr**st**	**-(e)st**
er/es/sie	wohn**t**	arbeit**et**	heiß**t**	hol**t** ab	spr**i**ch**t**	f**ä**hr**t**	**-(e)t**
wir	wohn**en**	arbeit**en**	heiß**en**	hol**en** ab	sprech**en**	fahr**en**	**-en**
ihr	wohn**t**	arbeit**et**	heiß**t**	hol**t** ab	sprech**t**	fahr**t**	**-(e)t**
sie/Sie	wohn**en**	arbeit**en**	heiß**en**	hol**en** ab	sprech**en**	fahr**en**	**-en**

weitere trennbare Verben: ab|fahren, an|rufen, auf|stehen, aus|ziehen, ein|kaufen, fern|sehen, hoch|fahren, kennen|lernen, leid|tun, los|fahren, mit|bringen, nach|fragen, um|steigen, vor|stellen, weg|räumen, weh|tun, weiter|machen, zu|machen, zurück|schicken, zusammen|passen

unregelmäßige Verben

*e → i	**sprechen** (du spr**i**chst, er/es/sie spr**i**cht)
	lesen (du l**ie**st, er/es/sie l**ie**st)
	ebenso: an|sehen, essen, geben, helfen, sehen, treffen …
	! **nehmen** (du n**i**mmst, er/es/sie n**i**mmt)
**a → ä	**fahren** (du f**ä**hrst, er/es/sie f**ä**hrt)
	laufen (du l**äu**fst, er/es/sie l**äu**ft)
	ebenso: an|fangen, ein|fallen, ein|laden, raten, schlafen, waschen …

besondere Verben

	sein	haben	werden
ich	bin	habe	werde
du	bist	hast	wirst
er/es/sie	ist	hat	wird
wir	sind	haben	werden
ihr	seid	habt	werdet
sie/Sie	sind	haben	werden

Hallo, ich **bin** Georg. Wer **bist** du?
Ich **habe** heute Zeit. **Hast** du auch Zeit?
Sofia **wird** 30.

! wissen — ich weiß — wir wissen
du weißt — ihr wisst
er/es/sie weiß — sie/Sie wissen

Modalverben   K5, K6, K8

	müssen	können	wollen	dürfen	sollen	Endung
ich	muss	kann	will	darf	soll	–
du	musst	kannst	willst	darfst	sollst	-(s)t
er/es/sie	muss	kann	will	darf	soll	–
wir	müssen	können	wollen	dürfen	sollen	-en
ihr	müsst	könnt	wollt	dürft	sollt	-t
sie/Sie	müssen	können	wollen	dürfen	sollen	-en

weitere Modalverben:
möchten: ich möchte, du möchtest, er/es/sie möchte, wir möchten, ihr möchtet, sie/Sie möchten
mögen: ich mag, du magst, er/es/sie mag, wir mögen, ihr mögt, sie/Sie mögen

Imperativ   K3, K8

	du	ihr	Sie
kommen	Komm!	Kommt!	Kommen Sie!
aufstehen	Steh auf!	Steht auf!	Stehen Sie auf!
anfangen	Fang an!	Fangt an!	Fangen Sie an!
sein	Sei aktiv!	Seid aktiv!	Seien Sie aktiv!

~~du läufst~~ → Lauf!
~~ihr~~ macht → Macht!

Verben mit *-ten* haben im Imperativ oft die Endung *-e*: Warte! Arbeite nicht so viel!

Präteritum von *sein* und *haben*   K6

	sein	haben		
ich	war	hatte	Ich **war** zu Hause.	Ich **hatte** Glück.
du	warst	hattest	Wo **warst** du?	**Hattest** du Spaß?
er/es/sie	war	hatte	Das Essen **war** lecker.	Der Hund **hatte** Durst.
wir	waren	hatten	Wir **waren** in Spanien.	Wir **hatten** viel Zeit.
ihr	wart	hattet	**Wart** ihr im Restaurant?	**Hattet** ihr Hunger?
sie/Sie	waren	hatten	Sie **waren** im Kino.	**Hatten** Sie einen Termin?

Perfekt   K10, K11

haben + Partizip II	Daniel **hat** sechs Stunden **gelernt**.
sein + Partizip II	Er **ist** nach Hause **gefahren**.

Perfekt mit **sein** bei Verben der Ortsveränderung A → 🚶 → B:
fahren – ist gefahren, gehen – ist gegangen, kommen – ist gekommen …
! bleiben – ist geblieben, passieren – ist passiert

Partizip II

regelmäßige Verben: ge...(e)t		unregelmäßige Verben: ge...en	
machen	**ge**mach**t**	fahren	**ge**fahr**en**
arbeiten	**ge**arbeite**t**	bleiben	**ge**blieb**en**
Verben auf -ieren: ...t		finden	**ge**fund**en**
studieren	studier**t**	gehen	**ge**g**a**ng**en**
telefonieren	telefonier**t**		

Eine Liste mit unregelmäßigen Verben finden Sie im Anhang.

! denken – **ge**dach**t**, wissen – **ge**wuss**t**

trennbare Verben: Präfix + ge...t/en		nicht trennbare Verben: Präfix + ...t/en	
ankommen	ist an**ge**komm**en**	bekommen	hat bekomm**en**
umtauschen	hat um**ge**tausch**t**	gefallen	hat gefall**en**
anziehen	hat an**ge**z**o**g**en**	empfehlen	hat empf**o**hl**en**
		erzählen	hat erzähl**t**
trennbare Präfixe: *ab-, an-, auf-, aus-, ein-, mit-, zu-, zurück-* ...		nicht trennbare Präfixe: *be-, emp(f)-, ent-, er-, ge-, ver-, zer-*	

Perfekt von *sein* und *haben*

Die Perfektformen *ich bin gewesen, ich habe gehabt* verwendet man nur selten. Man verwendet *ich **war**, ich **hatte**.*

Verben im Satz

Satzklammer in Aussagesätzen und W-Fragen   **K5, K6, K10**

Aussagesatz	Ich	muss	jeden Abend bis 19:00 Uhr	arbeiten.
	Sofia	hat	ihren Geburtstag	gefeiert.
	Anne	holt	Sofia	ab.
W-Frage	Was	willst	du am Samstag	machen?
	Was	hast	du heute	gemacht?
	Wen	laden	Marc und Anne	ein?
		Position 2		Satzende

Position 2: Modalverb, Hilfsverb oder der konjugierte Verbteil; Satzende: Infinitiv, Partizip II oder Präfix

Satzklammer in Ja-/Nein-Fragen   **K5, K6, K10**

Ja-/Nein-Frage	Musst	du	jeden Tag	arbeiten?
	Hat	Sofia	ihren Geburtstag	gefeiert?
	Holt	Anne	Sofia	ab?
	Position 1	Position 2		Satzende

Position 1: Modalverb, Hilfsverb oder der konjugierte Verbteil; Position 2: Subjekt; Satzende: Infinitiv, Partizip II oder Präfix

Nomen

bestimmter Artikel K2

maskulin	**der** Stift
neutrum	**das** Buch
feminin	**die** Tablette
Plural	**die** Stifte, Bücher, Tabletten

Singular und Plural K2

Endungen	Singular	Plural
(¨)-	der Kuchen	die Kuchen
	der Apfel	die **Ä**pfel
-(e)n	die Stunde	die Stunde**n**
	die Person	die Person**en**
(¨)-e	der Tag	die Tag**e**
	der Arzt	die **Ä**rzt**e**
(¨)-er	das Bild	die Bild**er**
	das Buch	die B**ü**ch**er**
-s	das Auto	die Auto**s**

ebenso:

der Kilometer, der Schlüssel
der Vater, der Bruder

die Farbe, die Gruppe
die Zahl, die Nachricht

der Film, der Kurs
die Nacht, der Fluss

das Kind, das Ei
das Fahrrad, der Mann

der Chef, der Test

Artikelwörter

unbestimmter und bestimmter Artikel, Negationsartikel K2, K3

	unbestimmter Artikel	bestimmter Artikel	Negationsartikel
	ein, ein, eine	**der, das, die**	**kein, kein, keine**
maskulin	Das ist **ein** Hafen.	Das ist **der** Hafen von Hamburg.	Das ist **kein** Bahnhof.
neutrum	Das ist **ein** Hotel.	**Das** Hotel heißt „Linde".	Das ist **kein** Rathaus.
feminin	Das ist **eine** Brücke.	**Die** Brücke heißt „Alsterbrücke".	Das ist **keine** Straße.
Plural	Das sind **–** Schiffe.	**Die** Schiffe sind im Hafen.	Das sind **keine** Autos.
	neu / nicht bekannt	**bekannt**	

bestimmter Artikel: Nominativ, Akkusativ, Dativ K2, K4, K7, K11

	Nominativ	Akkusativ	Dativ
maskulin	**Der** Mann ist nett.	Ich kenne **den** Mann.	Ich helfe **dem** Mann.
neutrum	**Das** Kind ist süß.	Ich kenne **das** Kind.	Ich helfe **dem** Kind.
feminin	**Die** Frau ist nett.	Ich kenne **die** Frau.	Ich helfe **der** Frau.
Plural	**Die** Leute sind nett.	Ich kenne **die** Leute.	Ich helfe **den** Leuten.

weitere Verben mit Akkusativ: bestellen, brauchen, essen, finden, haben, kaufen, kochen, machen, möchten, mögen, nehmen, sehen, suchen ...
Verben mit Dativ: gefallen, helfen, passen, stehen ...

unbestimmter Artikel und Negationsartikel: Nominativ, Akkusativ und Dativ
K3, K4, K7

	Nominativ	Akkusativ	Dativ
maskulin	Das ist **ein/kein** Mann.	Ich sehe **einen/keinen** Mann.	Ich helfe **einem/keinem** Mann.
neutrum	Das ist **ein/kein** Kind.	Ich sehe **ein/kein** Kind.	Ich helfe **einem/keinem** Kind.
feminin	Das ist **eine/keine** Frau.	Ich sehe **eine/keine** Frau.	Ich helfe **einer/keiner** Frau.
Plural	Das sind –/**keine** Kinder.	Ich sehe –/**keine** Kinder.	Ich helfe –/**keinen** Kinder**n**.

Possessivartikel: Nominativ
K5

	maskulin	neutrum	feminin	Plural
ich	**mein** Sohn	**mein** Kind	**meine** Tochter	**meine** Eltern
du	**dein** Sohn	**dein** Kind	**deine** Tochter	**deine** Eltern
er	**sein** Sohn	**sein** Kind	**seine** Tochter	**seine** Eltern
es	**sein** Sohn	**sein** Kind	**seine** Tochter	**seine** Eltern
sie	**ihr** Sohn	**ihr** Kind	**ihre** Tochter	**ihre** Eltern
wir	**unser** Sohn	**unser** Kind	**unsere** Tochter	**unsere** Eltern
ihr	**euer** Sohn	**euer** Kind	**eu**re Tochter	**eu**re Eltern
sie	**ihr** Sohn	**ihr** Kind	**ihre** Tochter	**ihre** Eltern
Sie	**Ihr** Sohn	**Ihr** Kind	**Ihre** Tochter	**Ihre** Eltern

Possessivartikel: Nominativ und Akkusativ
K5

		Nominativ		Akkusativ
der	ein/kein	mein Hund	ein**en**/kein**en**	mein**en** Hund
das	ein/kein	mein Kind	ein/kein	mein Kind
die	eine/keine	meine Mutter	eine/keine	meine Mutter
die	–/keine	meine Eltern	–/keine	meine Eltern

Interrogativartikel
Welcher? Welches? Welche?
K11

	Nominativ	Akkusativ	Dativ
der Mantel	Welch**er** Mantel?	Welch**en** Mantel?	Mit welch**em** Mantel?
das Kleid	Welch**es** Kleid?	Welch**es** Kleid?	Mit welch**em** Kleid?
die Jacke	Welch**e** Jacke?	Welch**e** Jacke?	Mit welch**er** Jacke?
die Schuhe	Welch**e** Schuhe?	Welch**e** Schuhe?	Mit welch**en** Schuhe**n**?

Demonstrativartikel
dieser, dieses, diese
K11

	Nominativ	Akkusativ	Dativ
der Mantel	dies**er** Mantel	dies**en** Mantel	mit dies**em** Mantel
das Kleid	dies**es** Kleid	dies**es** Kleid	mit dies**em** Kleid
die Jacke	dies**e** Jacke	dies**e** Jacke	mit dies**er** Jacke
die Schuhe	dies**e** Schuhe	dies**e** Schuhe	mit dies**en** Schuhe**n**

Adjektive

sein + Adjektiv

K3, K9

> Die Wohnung **ist teuer.**
> Die Wohnung **ist** nicht **billig.**
> Die Wohnung **ist** sehr **teuer.**
> Die Wohnung **ist** zu **teuer.**

Pronomen

Personalpronomen: Nominativ, Akkusativ und Dativ

K1, K2, K6, K11

Nominativ	Akkusativ	Dativ
ich	mich	mir
du	dich	dir
er	ihn	ihm
es	es	ihm
sie	sie	ihr
wir	uns	uns
ihr	euch	euch
sie	sie	ihnen
Sie	Sie	Ihnen

Nominativ: Wo ist Paul? Da ist **er**.
Akkusativ: Der Salat ist für **ihn**.
Dativ: Ich spreche mit **ihm**.

Personalpronomen in Texten

K1

 Das ist **Frau Lang. Sie** kommt aus Deutschland. **Sie** wohnt in Frankfurt.

 Das ist **Jan. Er** kommt aus Frankfurt. **Er** wohnt in Zürich.

man

K12

> *man* + Verb in der 3. Person Singular: **Man kann** in der Altstadt spazieren gehen.
> In Basel **kann** man sehr viel machen.

Präpositionen

für + Akkusativ

K6

○ **Für** wen ist das Wasser?
● Das Wasser ist **für** ihn / **für** den Hund.

mit + Dativ

K7

○ **Mit** wem fährt Laura?
● Sie fährt **mit** mir / **mit** einem Freund und einer Freundin.

Zeitangaben mit *am, um, von … bis*   K5

	Wochentage/Tageszeiten	Uhrzeit
Wann?	**am** Montag	**um** Viertel vor drei
	am Vormittag	**um** 14:45 Uhr
Wie lange?	**von** Montag **bis** Samstag	**von** neun **bis** halb zwei
	von morgens **bis** abends	**von** 9:00 Uhr **bis** 13:30 Uhr

Datumsangabe mit *am* + Ordinalzahl   K6

Wann? – **Am** … November. / **Am** … Elften.

	10. zehn**ten**	20. zwanzig**sten**	30. dreißig**sten**
1. ers**ten**	11. elf**ten**	21. einundzwanzig**sten**	31. einunddreißig**sten**
2. zwei**ten**	12. zwölf**ten**	22. zweiundzwanzig**sten**	
3. drit**ten**	13. dreizehn**ten**	23. dreiundzwanzig**sten**	
4. vier**ten**	14. vierzehn**ten**	24. vierundzwanzig**sten**	
5. fünf**ten**	15. fünfzehn**ten**	25. fünfundzwanzig**sten**	
6. sechs**ten**	16. sech**zehnten**	26. sechsundzwanzig**sten**	
7. sieb**ten**	17. sieb**zehnten**	27. siebenundzwanzig**sten**	
8. ach**ten**	18. achtzehn**ten**	28. achtundzwanzig**sten**	
9. neun**ten**	19. neunzehn**ten**	29. neunundzwanzig**sten**	

Zeitangaben: Präpositionen mit Dativ   K12

ab	**ab dem** Moment
an	**am** Montag
in	**im** August
nach	**nach dem** Urlaub
seit	**seit einer** Woche
vor	**vor der** Reise

Ortsangaben: Präpositionen mit Dativ   K7

Wohin?	zu	Sie geht **zum** Chef / **zur** Bank.
Wo?	bei	Sie ist **beim** Chef / **bei der** Chefin.
Woher?	aus	Er kommt **aus dem** Haus / **aus der** Bank.
	von	Sie kommt **vom** Chef / **von der** Chefin.

Kurzformen
zu + der → zur
zu + dem → zum
bei + dem → beim
von + dem → vom

Wechselpräpositionen mit Akkusativ oder Dativ   K7, K9

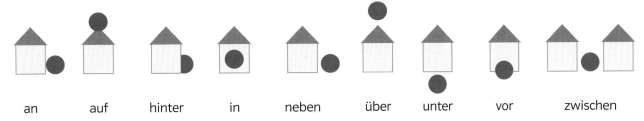

an   auf   hinter   in   neben   über   unter   vor   zwischen

Wohin? ⊕ *in* + Akkusativ	Wo? ⊙ *in* + Dativ
Wohin stellen wir den Stuhl?	**Wo** steht/ist der Schrank?
der Flur → **In den** Flur.	der Flur → **Im** Flur.
das Bad → **Ins** Bad.	das Bad → **Im** Bad.
die Küche → **In die** Küche.	die Küche → **In der** Küche.
Wohin stellen wir die Bücher?	**Wo** sind die Bücher?
die Regale → **In die** Regale.	die Regale → **In den** Regalen.

Kurzformen

in + de**m** → i**m**
in + da**s** → in**s**

Fragewörter

K7

Frage nach	Nominativ	Akkusativ	Dativ	Frage nach	
Person	Wer?	Wen?	Wem?	Ort	Wo? Wohin? Woher?
Sache	Was?	Was?		Zeit	Wann? Wie lange?
				Art und Weise	Wie?
				Grund	Warum?
				Menge	Wie viel? Wie viele?

Unregelmäßige Verben

ab|fahren, er fährt ab, ist abgefahren
an|fangen, er fängt an, hat angefangen
an|kommen, er kommt an, ist angekommen
an|nehmen, er nimmt an, hat angenommen
an|sehen, er sieht an, hat ansehen
an|ziehen, er zieht an, hat angezogen
auf|schreiben, er schreibt auf, hat aufgeschrieben
auf|stehen, er steht auf, ist aufgestanden
aus|gehen, er geht aus, ist ausgegangen
aus|sehen, er sieht aus, hat ausgesehen
aus|steigen, er steigt aus, ist ausgestiegen
aus|ziehen, er zieht aus, hat ausgezogen
bekommen, er bekommt, hat bekommen
beschreiben, er beschreibt, hat beschrieben
bleiben, er bleibt, ist geblieben
bringen, er bringt, hat gebracht
denken, er denkt, hat gedacht
dran|kommen, er kommt dran, ist drangekommen
ein|fallen, er fällt ein, ist eingefallen
ein|geben, er gibt ein, hat eingegeben
ein|laden, er lädt ein, hat eingeladen
ein|schlafen, er schläft ein, ist eingeschlafen
ein|steigen, er steigt ein, ist eingestiegen
empfehlen, er empfiehlt, hat empfohlen
erschließen, er erschließt, hat erschlossen
essen, er isst, hat gegessen

fahren, er fährt, ist gefahren
fern|sehen, er sieht fern, hat ferngesehen
finden, er findet, hat gefunden
fliegen, er fliegt, ist geflogen
frei|haben, er hat frei, hat freigehabt
geben, er gibt, hat gegeben
gefallen, er gefällt, hat gefallen
gehen, er geht, ist gegangen
genießen, er genießt, hat genossen
heißen, er heißt, hat geheißen
helfen, er hilft, hat geholfen
hoch|fahren, er fährt hoch, hat hochgefahren
kennen, er kennt, hat gekannt
klingen, er klingt, hat geklungen
kommen, er kommt, ist gekommen
laufen, er läuft, ist gelaufen
leid|tun, er tut leid, hat leidgetan
lesen, er liest, hat gelesen
liegen, er liegt, hat gelegen
los sein, er ist los, ist los gewesen
los|fahren, er fährt los, ist losgefahren
los|gehen, er geht los, ist losgegangen
mit|bringen, er bringt mit, hat mitgebracht
mit|kommen, er kommt mit, ist mitgekommen
mit|lesen, er liest mit, hat mitgelesen
mit|nehmen, er nimmt mit, hat mitgenommen

mit|sprechen, er spricht mit, hat mitgesprochen
nach|sprechen, er spricht nach, hat nachgesprochen
nehmen, er nimmt, hat genommen
nennen, er nennt, hat genannt
raten, er rät, hat geraten
raus|gehen, er geht raus, ist rausgegangen
riechen, er riecht, hat gerochen
scheinen, er scheint, hat geschienen
schlafen, er schläft, hat geschlafen
schließen, er schließt, hat geschlossen
schneiden, er schneidet, hat geschnitten
schreiben, er schreibt, hat geschrieben
schwimmen, er schwimmt, ist geschwommen
sehen, er sieht, hat gesehen
singen, er singt, hat gesungen
sitzen, er sitzt, hat gesessen
sprechen, er spricht, hat gesprochen
statt|finden, er findet statt, hat stattgefunden
stehen, er steht, hat gestanden
tragen, er trägt, hat getragen
treffen, er trifft, hat getroffen
trinken, er trinkt, hat getrunken
tun, er tut, hat getan
überweisen, er überweist, hat überwiesen
um|steigen, er steigt um, ist umgestiegen
um|ziehen, er zieht um, ist umgezogen
unterschreiben, er unterschreibt, hat unterschrieben
unterstreichen, er unterstreicht, hat unterstrichen
verbinden, er verbindet, hat verbunden

vergessen, er vergisst, hat vergessen
vergleichen, er vergleicht, hat verglichen
verstehen, er versteht, hat verstanden
vor|lesen, er liest vor, hat vorgelesen
waschen, er wäscht, hat gewaschen
weh|tun, er tut weh, hat wehgetan
wieder|geben, er gibt wieder, hat wiedergegeben
wiegen, er wiegt, hat gewogen
wissen, er weiß, hat gewusst
ziehen, er zieht, hat gezogen
zu|haben, er hat zu, hat zugehabt
zurück|fahren, er fährt zurück, ist zurückgefahren
zurück|finden, er findet zurück, hat zurückgefunden

besondere Verben
haben, er hat, hat gehabt
sein, er ist, ist gewesen
werden, er wird, ist geworden

Modalverben
dürfen, er darf, hat gedurft
können, er kann, hat gekonnt
müssen, er muss, hat gemusst
sollen, er soll, hat gesollt
wollen, er will, hat gewollt

möchten, er möchte, hat gemocht
mögen, er mag, hat gemocht

Alphabetische Wortliste

So geht's:

Hier finden Sie alle Wörter aus den Kapiteln 1–12 von „Netzwerk neu" A1.

Die **fett** markierten Wörter sind besonders wichtig. Sie brauchen sie für den Test „Start Deutsch 1".

Diese Wörter müssen Sie also gut lernen.

Ein Strich unter einem Vokal zeigt: Sie müssen den Vokal lang sprechen.

Ein Punkt bedeutet: Der Vokal ist kurz.

Hinter unregelmäßigen Verben finden Sie auch die 3. Person Singular und das Perfekt.

Für manche Wörter gibt es auch Beispiele oder Beispielsätze.

In der Liste stehen keine Personennamen und keine Städte.

Balkon, der, -e	9/1a
Bauch, der, ⸚e	8/6a
bald	9/5c
bekommen, er bekommt, hat bekommen	8/8a
alle *(Die S-Bahn fährt alle 10 Minuten.)*	12/4b ÜB

So sieht's aus:

Wort · Artikel · Plural · Aufgabe

Balkon, der, -e · 9/1a

Wortakzent · Kapitel

ab (1) (+ D.) *(Nennen Sie die Zahlen ab 20.)* 2/7b

ab (2) (+ D.) *(Heute ab 16 Uhr bin ich beim Friseur.)* 5/14

ab (3) *(Ab in den Urlaub!)* 12/1a

Abend, der, -e 2/7a

Abendessen, das, - 4/1a

Abendkleidung, die (Sg.) 11/10a

abends 4/9a

aber (1) *(Ich arbeite viel, aber ich habe zwei Tage frei: Montag und Dienstag.)* 2/7a

aber (2) *(Jetzt aber schnell!)* 3/6b

ab|fahren, er fährt ab, ist abgefahren 12/4b ÜB

Abfahrt, die, -en 12/4b ÜB

ab|holen 6/6a

Abschnitt, der, -e 12/12b

Absender, der, - 7/8a

ab|wechseln 8/6b ÜB

abwechselnd 5/2b

acht 1/6a

achten 2/5a

Achtung (Sg. ohne Artikel) *(Achtung: Sofia weiß nichts!)* 6/6a

achtzehn 1/6a

achtzig 2/k&k

Adjektiv, das, -e 3/k&k

Adresse, die, -n 2/12a

Agentur für Arbeit, die (Sg.) 10/7a

ähnlich 3/9b

Akku, der, -s 7/6a

Akkusativ, der, -e 4/3d

aktiv 8/3a

Aktivität, die, -en 6/15c

aktuell 7/7a

Algerien 1/8a

alle (1) *(Notieren Sie alle Zahlen.)* 2/7b

alle (2) *(Die S-Bahn fährt alle 10 Minuten.)* 12/4b ÜB

allein 4/9a

alles 4/3b

Alltag, der (Sg.) 5/1a

Alphabet, das, -e 1/7a

als (1) *(Max Schmidt arbeitet seit zwei Jahren als Koch.)* 4/11

als (2) *(Das Leben hier ist ganz anders als zu Hause.)* 7/2a

also (1) *(Kein Bus, also schnell!)* 3/6b

also (2) *(Also, ich finde diese Jacke sehr schön.)* 11/4a

alt *(Ich bin 22 Jahre alt.)* 2/7a

Altbauwohnung, die, -en 9/10a

Alter, das (Sg.) 8/5b

Altstadt, die, ⸚e 4/11

am (1) *(Kochen wir am Wochenende Spaghetti?)* 2/3b

am (2) *(Max Schmidt ist Koch am Bodensee.)* 4/11

an (1) (+ D.) *(40.000 Filmfans sehen an 10 Tagen über 100 Filme.)* 3/9a

an (2) (+ D.) *(Wir sitzen draußen an Tischen und Bänken.)* 6/14a

an (3) (+ A.) *(Schreiben Sie an Herrn Müller.)* 7/8c

andere, anderer 1/1c

anders 7/2a

Anfang, der, ⸚e 10/13a

an|fangen, er fängt an, hat angefangen 6/6a

Angabe, die, -n *(Machen Sie persönliche Angaben.)* 2/12a

Angebot (1), das, -e *(ein Angebot schreiben)* 10/9a

Angebot (2), das, -e *(In der Stadt gibt es viele Angebote für Kultur.)* 12/12b

Anhang, der, ⸚e 10/5b

an|kommen, er kommt an, ist angekommen 11/5a

an|kreuzen 2/2a

Ankunft, die, ⸚e 12/4b ÜB

an|machen 7/6a

Anmeldung (1), die, -en *(die Anmeldung zum Marathon)* 6/15a

Anmeldung (2), die, -en *(Ergänzen Sie Ihre Daten in der Anmeldung.)* 12/3a ÜB

an|nehmen, er nimmt an, hat angenommen 7/1a

an|probieren 11/8b

Anrede, die, -n 6/8

Anredeformel, die, -n 7/8b

Anruf, der, -e 10/11a

an|rufen 6/6a

Anschluss, der, ⸚e 10/12

an|sehen, er sieht an, hat angesehen 2/10a

anstrengend 8/13a

Antwort, die, -en 1/4a

antworten 2/2b

Anweisung, die, -en   8/10c
Anzeige, die, -n   6/15a
an|ziehen, er zieht an, hat
 angezogen   8/3a
Anzug, der, ⸚e   11/2a
Apartment, das, -s   9/3c
Apfel, der, ⸚   4/2b
Apfelsaft, der, ⸚e   4/1a
Apfelsaftschorle, die, -n   6/10a
Apfelschorle, die, -n   7/2c
Apotheke, die, -n   8/8b
App, die, -s   8/3d
April, der (Sg.)   3/10a
Arabisch   1/8a
Arbeit, die, -en   4/9a
arbeiten (1) (Arbeiten Sie zu zweit.)   2/2b
arbeiten (2) (Was arbeitest du?)   2/3b
Arbeitsalltag, der (Sg.)   7/1a
arbeitslos   10/7a
Arbeitsplatz, der, ⸚e   10/1 ÜB
Arbeitszeit, die, -en   4/11
Arbeitszimmer, das, -   9/1a
Architekt, der, -en   2/9a
Architektin, die, -nen   2/9a
Architektur, die (Sg.)   11/12b
argentinisch   7/7a
Arm, der, -e   3/5b
Art, die (Sg.)   12/7c
Artikel, der, -   2/6a
Artikelbild, das, -er   2/11a
Arzt, der, ⸚e   2/6a
Arztbesuch, der, -e   8/8c
Ärztin, die, -nen   2/6a
asiatisch   4/9a
Assoziation, die, -en   4/10c
Atelier, das, -s   11/12a
Atmosphäre, die (Sg.)   6/15a
Attraktion, die, -en   10/13a
attraktiv   11/12a
auch   1/2a
auf (1) („Würstchen" heißt auf Italienisch
 „wurstel".)   1/1b
auf (2) (+ A.) (Achten Sie auf die
 Satzmelodie.)   2/5a
auf (3) (+ D.) (Die Schiffe fahren auf dem
 Fluss.)   3/1b
auf jeden Fall   11/12a
auf sein   11/11b ÜB
auf Wiederhören   5/13a
auf Wiedersehen   1/3a
Aufforderung, die, -en   8/3c
Aufgabe, die, -n   10/6
auf|hängen   8/12c
auf|hören   6/7a
auf|machen   8/4
auf|passen   6/15a
auf|schreiben, er schreibt auf, hat
 aufgeschrieben   8/4
auf|stehen, er steht auf, ist
 aufgestanden   3/3

auf|stellen   6/4b
Aufzug, der, ⸚e   7/9c
Auge, das, -n   8/6b ÜB
August, der (Sg.)   3/10a
aus (1) (+ D.) (Ich komme aus
 Deutschland.)   1/4a
aus (2) (+ D.) (Die Treppen sind aus
 Holz.)   9/10a
Ausdruck, der, ⸚e   8/13c
aus|drücken   8/k&k
Ausflug, der, ⸚e   6/6a
aus|füllen (ein Formular ausfüllen)
 9/4f ÜB
Ausgang, der, ⸚e   12/4b ÜB
aus|gehen, er geht aus, ist ausgegangen
 (Abends beim Ausgehen haben wir viel
 Spaß.)   11/2a
Auskunft, die, ⸚e (Auskunft geben)   12/7a
Ausland, das (Sg.)   10/13a
aus|machen   7/6a
Aussage, die, -n   5/13a
Aussagesatz, der, ⸚e   1/4b
aus|sehen, er sieht aus, hat
 ausgesehen   9/7a
außerhalb   12/7a
Äußerung, die, -en   9/7b
Aussprache, die (Sg.)   7/4c
aus|steigen, er steigt aus, ist
 ausgestiegen   12/4b ÜB
Ausstellung, die, -en   3/1d
Ausweis, der, -e   12/3a ÜB
auswendig (Lernen Sie die Wörter
 auswendig.)   7/8b
aus|ziehen, er zieht aus, hat
 ausgezogen   11/8b
Auto, das, -s   2/6a
Autobahn, die, -en   1/1a
Automat, der, -en   7/5a ÜB
Baby, das, -s   5/8b ÜB
Bäcker, der, - (Ich gehe zum Bäcker und
 kaufe Brot.)   7/5f
Bäckerei, die, -en   4/2a
Bad, das, ⸚er   9/1a
Badeanzug, der, ⸚e   12/1b
Badehose, die, -n   12/1b
Bademode, die, -n   11/10a
baden   8/10b
Badeurlaub, der, -e   12/1a
Bahnhof, der, ⸚e   3/1b
Bahnsteig, der, -e   12/4b ÜB
bald   9/5c
Balkon, der, -e   9/1a
Ball, der, ⸚e   5/10a
Banane, die, -n   4/1a
Bank (1), die, ⸚e (Die Leute sitzen auf der
 Bank.)   6/14a
Bank (2), die, -en (Tom muss heute
 Nachmittag zur Bank gehen.)   7/5b
Bar, die, -s   5/15a
bar (Zahlen Sie bar oder mit Karte?)
 7/5a ÜB

Basketball (Sg. ohne Artikel)   2/12b
Bauch, der, ⸚e   8/6a
Bauchschmerzen, die (Pl.)   8/10a
Baum, der, ⸚e   9/11a
Baustelle, die, -n   10/1 ÜB
Bauzeit, die (Sg.)   3/1b
beantworten   4/11
Becher, der, -   4/6d ÜB
bedeuten (Was bedeutet das?)   7/2a
Befinden, das (Sg.)   1/k&k
Begeisterung, die (Sg.)   9/7a
Beginn, der (Sg.)   6/15a
beginnen   6/15a
bei (+ D.) (Ich arbeite bei „Taxi-
 Zentral".)   2/7a
beide   10/4b
Bein, das, -e   8/6a
Beisl, das, -/-n   6/14a
Beispiel, das, -e (zum Beispiel)   2/10a
Beiz, die, -en   6/14a
bekannt   1/2c
Bekannte, der/die, -n   12/7a
bekommen, er bekommt, hat
 bekommen   8/8a
beliebt   7/9c
benutzen   12/4b
bequem   11/12b
Berg, der, -e   12/11b
Bergtour, die, -en   12/3b
Bericht, der, -e   7/5b
berichten   2/9b
Beruf, der, -e   2/6a
berühmt   10/13a
beschreiben, er beschreibt, hat
 beschrieben   5/8a
besetzt   10/12
besichtigen   9/4f ÜB
besondere, besonderer   6/15a
besonders (1) (Was ist am Geburtstag
 besonders?)   6/4a
besonders (2) (Ich bin besonders gern in
 der Küche.)   9/2a
Besprechung, die, -en   5/15a
besser   11/4a
bestellen   6/10a
Bestellung, die, -en   6/10a
bestimmt (1) (der bestimmte
 Artikel)   2/6a
bestimmt (2) (Sie möchten eine bestimmte
 Person sprechen.)   10/11c
Besuch, der, -e   6/13b
besuchen   5/1a
Besucher, der, -   3/1b
Besucherin, die, -nen   3/1b
betont   11/6a
Betonung, die, -en   11/6a
Betreff, der, -e   6/6a
betreuen   10/1a
Bett, das, -en   8/1c

bewegen 8/8b
Bewegung, die, -en 12/12b
Bewerbung, die, -en 10/7a
Bewohner, der, - 9/10b
Bewohnerin, die, -nen 9/10b
bewölkt 12/11b
bezahlen 6/12a
Bibliothek, die, -en 5/1a
Biergarten, der, ⸚ 6/14a
Bikini, der, -s 12/1b
Bild, das, -er 3/6b
bilden *(Bilden Sie drei Gruppen.)* 3/3
Bildgeschichte, die, -n 3/6a
billig 9/3c
Birne, die, -n 4/3c ÜB
bis (+ D.) *(Bauzeit: bis 2016)* 3/1b
bis bald 1/2a
bis dann 7/1c
bis später 4/3a
bis zu 3/1b
bitte 1/7c
Bitte, die, -n *(Ich habe eine Bitte: …)* 8/12b
blau 2/11a
bleiben, er bleibt, ist geblieben 5/7b
Bleistift, der, -e 11/10c
Blick, der, -e 9/11a
Blog, der, -s 7/2a
Blume, die, -n 9/11a
Bluse, die, -n 11/2a ÜB
Blut, das (Sg.) 8/13a
böse 11/5a
Brasilien 1/8a
brauchen 4/3b
braun 9/9a
breit 3/1b
Brief, der, -e 7/7a
Briefstandard, der, -s 7/8a
bringen, er bringt, hat gebracht 6/10b
Brot, das, -e 4/1a
Brötchen, das, - 4/1a
Brücke, die, -n 3/1d
Bruder, der, ⸚ 5/8a
Buch, das, ⸚er 2/3a
Buchladen, der, ⸚ 11/11b
Buchstabe, der, -n 1/6a
buchstabieren 1/7c
Bühne, die, -n 10/13a
Bulgarisch 1/1a
Burg, die, -en 12/11b
Büro, das, -s 5/3a
Bus, der, -se 3/6a
Butter, die (Sg.) 4/1a
Butterbrot, das, -e 1/1a
Café, das, -s 2/5b
Campingurlaub, der, -e 12/1a
CD, die, -s 11/10a
Cent, der, -s 4/6a
Champignon, der, -s 4/11
Chef, der, -s 4/11

Chefin, die, -nen 4/11
chillen 12/7d
Chips, die (Pl.) 8/1b
Chor, der, ⸚e 3/9a
ciao 1/2a
circa *(= ca.)* 3/1b
Club, der, -s 2/12a
Co *(Kneipen & Co)* 6/14a
Cola, die/das, -s 4/1a
Comic, der, -s 8/3a
Computer, der, - 2/6a
Computerarbeit, die (Sg.) 7/2a
Computerfirma, die, -firmen 10/12
Computerproblem, das, -e 10/12
cool 5/10b
da 3/1b
da sein 5/15a
da vorne 12/3a ÜB
Dame, die, -n *(Sehr geehrte Damen und Herren, …)* 7/8b
Damenmode, die, -n 11/10a
danach 12/3d
daneben 11/4a
Dank, der (Sg.) *(Vielen Dank.)* 3/7c
danke 1/2a
danke schön 6/12b ÜB
danken 11/11a
dann 1/6a
darauf 1/k&k
das (1) *(das Würstchen)* 1/1a
das (2) *(Das ist Frau Kowalski.)* 1/3a
Datei, die, -en 7/6a
Daten, die (Pl.) 12/3a ÜB
Datum, das, Daten 6/4a
dauern 7/5b
dazu 7/9c
dazugehören 8/13b
Decke, die, -n 9/10a
Deckel, der, - 11/12b
dein, deine 1/6c
dem *(Die Schiffe fahren auf dem Fluss.)* 3/1b
Demonstrativartikel, der, - 11/k&k
den 1/4b
denken, er denkt, hat gedacht 7/8c
denn (1) *(Was denn?)* 6/3a
denn (2) *(In Basel ist es schön, denn man kann viel machen.)* 12/5a
der (1) *(der Kindergarten)* 1/1a
der (2) *(Sie kommt aus der Schweiz.)* 1/8a
Design, das, -s 11/12a
Designer, der, - 11/12b
Designerin, die, -nen 11/12b
Designfan, der, -s 11/12a
Dessert, das, -s 4/11
Deutsch *(Ich spreche Deutsch.)* 1/1a
deutsch 1/1c
Deutschbuch, das, ⸚er 12/8b

Deutsche (1), das (Sg.) 8/13b
Deutsche (2), der/die, -n 12/12b
Deutschland 1/4a
deutschsprachig 3/9a
Dezember, der (Sg.) 3/10a
Dialog, der, -e 1/7c
dich 6/10b
die (1) *(die Flasche)* 1/1a
die (2) *(Wie heißen die Personen?)* 1/2a
die meisten 7/9c
Dienstag, der, -e 2/4a
diese, dieser 3/9a
Ding, das, -e 3/k&k
dir *(Wie geht's? – Gut, und dir?)* 1/2a
direkt *(Die Wohnung ist direkt am Bahnhof.)* 9/3c
dirigieren 3/9a
diskutieren 7/7a
doch (1) *(Kommst du heute nicht? – Doch.)* 7/1c
doch (2) *(Die Lampe ist doch toll!)* 9/7a
Doktor, der, Doktoren 8/8a
Doktorin, die, -nen 8/8a
Döner, der, - 4/9a
Donnerstag, der, -e 2/4a
doof 11/1a
doppelt 3/5a
Doppelzimmer, das, - 12/3a ÜB
Dorf, das, ⸚er 12/12b
dort 4/6a
Dose, die, -n 4/6d ÜB
Double Feature, das, -s 6/15a
dran|kommen, er kommt dran, ist drangekommen/4 6a
draußen 6/14a
drei 1/6a
dreimal 5/12
dreißig 2/k&k
dreizehn 1/6a
dritt *(Arbeiten Sie zu dritt.)* 2/3c
drucken 7/6a
Drucker, der, - 7/6a
du 1/2a
dunkel 9/3d
durch (1) (+ A.) 2/5b
durch (2) (+ A.) *(Die Stelle habe ich durch ein Job-Portal gefunden.)* 10/7a
Durchwahl, die, -en 10/11a
dürfen, er darf, hat gedurft 8/10b
Durst, der (Sg.) 6/13a
Dusche, die, -n 9/3c
duschen 5/1a
Duschgel, das, -s 11/10a
ebenso 10/3b
echt (1) *(Das ist dann echt stressig!)* 4/11
echt (2) *(Sofia hat morgen Geburtstag. – Echt?)* 6/3a
Ecke, die, -n 12/4b ÜB
egal 8/1c
Ehefrau, die, -en 10/7a

Ehemann, der, ⁼er   10/7a
Ei, das, -er   4/1a
eigene, eigener   2/11b
eigentlich   7/9d
eilig (Ich habe es immer eilig.)   10/7a
ein, eine   1/1c
ein bisschen   1/7c
ein paar   9/11a
einfach (1) (Das ist ganz einfach.)   3/7c
einfach (2) (Das Geschäft ist einfach für jeden.)   11/12b
ein|fallen, es fällt ein, ist eingefallen   4/10c
ein|geben, er gibt ein, hat eingegeben (das Passwort eingeben)   7/6a
einhundert   2/7b
Einkauf, der, ⁼e   4/3c
ein|kaufen   4/2a
einkaufen gehen, er geht einkaufen, ist einkaufen gegangen   7/1e
Einkaufswagen, der, -   4/6a
Einkaufszettel, der, -   4/3b
ein|laden, er lädt ein, hat eingeladen   6/3a
Einladung, die, -en   4/3a
Einladungs-Mail, die, -s   6/8
einmal   12/12a
ein|packen   12/2b
eins   1/6a
ein|sammeln   6/6a
ein|schlafen, er schläft ein, ist eingeschlafen   8/12b
ein|steigen, er steigt ein, ist eingestiegen   12/4a
eintausend   2/k&k
Eintrag, der, ⁼e   5/10b
Eintritt, der, -e   6/15a
Einweihungsfeier, die, -n   9/6a
Einzelzimmer, das, -   12/3a ÜB
Eis, das (Sg.)   6/11
elegant   9/3c
Elektriker, der, -   2/9a ÜB
Elektrikerin, die, -nen   2/9a ÜB
Elektrogerät, das, -e   11/10a
elf   1/6a
Eltern, die (Pl.)   5/7b
E-Mail, die, -s   2/12b
E-Mail-Adresse, die, -n   1/7b
Emmentaler, der, -   4/6a
Empfänger, der, -   7/8a
Empfängerin, die, -nen   7/8a
empfehlen, er empfiehlt, hat empfohlen   11/5a
Ende, das, -n   10/13a
enden   6/15a
endlich   7/2a
Endung, die, -en   2/3b
eng   11/1a
Englisch   1/1a
Englisch-Test, der, -s   5/7a

entdecken   11/5a
Entscheidung, die, -en   11/4a
entschuldigen (Bitte entschuldigen Sie.)   5/15c
Entschuldigung, die, -en (Entschuldigung, wie heißt du?)   1/2a
er   1/4c
Erdgeschoss, das, -e   9/11a
Ereignis, das, -se   6/k&k
Erfindung, die, -en   11/12b
ergänzen   1/4c
Ergebnis, das, -se   8/13a
erkältet   8/10a
erklären   7/2a
Erlaubnis, die, -se   8/k&k
erlaubt sein   8/10b
erschließen, er erschließt, hat erschlossen   8/13b
erst   12/7a
erste, erster   3/1b
Erste, der/die, -n   8/1c
Erwachsene, der/die, -n   7/7a
erzählen   4/9b
Erzieher, der, -   2/9a ÜB
Erzieherin, die, -nen   2/9a ÜB
es   1/3a
Essen, das, -   4/3a
essen, er isst, hat gegessen   4/4
Essig, der, -e   4/1a
etwas (1) (Sonst noch etwas?)   4/6a
etwas (2) (Die Jugendherberge war etwas außerhalb.)   12/7a
euch   6/10b
euer, eure   5/10b
Euro, der, -s   3/1b
Event, das, -s   3/9a
Experiment, das, -e   8/1b
Extra- (Morgen ist in Wien ein Extra-Konzert von Mark Forster.)   6/15a
Fachwerkhaus, das, ⁼er   9/10a
fahren, er fährt, ist gefahren   2/7a
Fahrkarte, die, -n   3/6b
Fahrrad, das, ⁼er   3/6a
Fahrradtour, die, -en   6/3a
falsch   5/7b
Familie, die, -n   5/1a
Familienfoto, das, -s   5/10b
Familienname, der, -n   2/12a
Fantasie, die (Sg.)   5/8b
Farbe, die, -n   2/10a
faul   8/1c
Februar, der (Sg.)   3/10a
fehlen   6/15a
fehlend   9/5b
Fehler, der, -   7/2a
Feier, die, -n   9/5c
Feierabend, der, -e   10/3a
feiern   6/1a
feminin   2/6a
Fenster, das, -   8/4

Fernsehen, das (Sg.) (Gestern war ein Fußballspiel im Fernsehen.)   7/9c
fern|sehen, er sieht fern, hat ferngesehen   11/7
Fernseher, der, -   9/1a
Fernsehproduktion, die, -en   11/12a
fertig   4/3a
Fest, das, -e   6/7a
Festival, das, -s   3/9a
Festspiel, das, -e   10/13a
Fett, das, -e   4/6d ÜB
Fieber, das (Sg.)   8/10a
Film, der, -e   3/9a
Filmfan, der, -s   3/9a
Filmproduktion, die, -en   11/12a
finden (1), er findet, hat gefunden (Finden Sie Sport interessant?)   3/9d
finden (2), er findet, hat gefunden (Entschuldigung, wo finde ich Reis?)   4/6a
Finger, der, -   8/6a
Firma, die, Firmen   2/12b
Fisch, der, -e   4/3c ÜB
Fischgericht, das, -e   4/11
fit   8/1c
Fitness-App, die, -s   8/3a
Fitnessgerät, das, -e   11/10a
Fitness-Studio, das, -s   6/1a
Flagship-Store, der, -s   11/12b
Flasche, die, -n   1/1a
Fleisch, das (Sg.)   4/1a
fleißig   10/3a
fliegen, er fliegt, ist geflogen   10/7a
Flug, der, ⁼e   12/8b
Flughafen, der, ⁼   12/4b ÜB
Flugzeug, das, -e   3/6a ÜB
Flur, der, -e   9/1a
Fluss, der, ⁼e   3/1b
Form, die, -en   2/3c
formell   1/3b
Formular, das, -e   2/12b
formulieren   7/9c
Forumsbeitrag, der, ⁼e   8/12b
Foto, das, -s   2/3b
Fotograf, der, -en   11/12a
fotografieren   2/2a
Fotografin, die, -nen   11/12a
Fotozubehör, das (Sg.)   11/10a
Frage, die, -n   2/4c
fragen   1/6c
Fragewort, das, ⁼er   12/7c
Franken, der, -   6/15a
Frankreich   1/8a ÜB
Französisch   1/8a
Frau (1) (Guten Morgen, Frau Weber.)   1/3a
Frau (2), die, -en (Die Frau trinkt gern Tee.)   4/8a
frei (1) (Sammeln Sie freie Assoziationen.)   4/10c

frei (2) *(Leider ist am Montag kein Termin frei.)* 5/13a
frei|haben, er hat frei, hat freigehabt 2/7a
Freitag, der, -e 2/4a
Freizeit, die (Sg.) 8/1c
Freizeitaktivität, die, -en 6/1a
Freizeitkleidung, die (Sg.) 11/10a
freuen (sich) 9/5a
Freund, der, -e 2/2a
Freundin, die, -nen 2/2a
freundlich (1) *(Mit freundlichen Grüßen)* 7/8b
freundlich (2) *(Der Chef ist immer freundlich.)* 10/7a
frisch 4/11
Friseur, der, -e 2/9a
Friseurin, die, -nen 2/9a
froh 12/7a
früh 6/15a
früher 10/7a
Frühling, der (Sg.) 3/10a
Frühstück, das, -e 4/1a
frühstücken 4/9a
führen *(ein Gespräch führen)* 4/k&k
fünf 1/6a
fünfzehn 1/6a
fünfzig 2/k&k
für (+ A.) 2/5a
Fuß, der, ⸚e 8/6a
Fußball (Sg. ohne Artikel) *(Er spielt gern Fußball.)* 2/3a
Fußballspiel, das, -e 6/15c
Gabel, die, -n 6/11c ÜB
Gadget, das, -s 11/12b
ganz (1) *(Wie geht's? – Ganz gut, danke.)* 1/2a
ganz (2) *(Ich möchte Leute aus der ganzen Welt kennenlernen.)* 7/7a
gar 7/9c
Garten, der, ⸚ 9/10a
Gast, der, ⸚e 3/9a
Gästebuch, das, ⸚er 5/10a
geben (1), es gibt, es hat gegeben *(Es gibt mehrere Möglichkeiten.)* 2/6a
geben (2), er gibt, hat gegeben *(Sie gibt dem Kellner Trinkgeld.)* 6/12b
geben (3), er gibt, hat gegeben *(Gib alles!)* 8/3a
geben (4), er gibt, hat gegeben *(Der Arzt gibt Anweisungen.)* 8/10c
geben (5), er gibt, hat gegeben *(Ich gebe Unterricht an der Uni.)* 10/1a
Gebot, das, -e 8/k&k
Geburtsdatum, das, -daten 2/12a
Geburtsort, der, -e 2/12a
Geburtstag, der, -e 5/7a
geehrt *(Sehr geehrte Damen und Herren, …)* 7/8b
gefährlich 8/2a

Gefallen, der (Sg.) 9/k&k
gefallen, er gefällt, hat gefallen 11/1a
gegen (+ A.) 8/10b
gegenseitig 2/8c
gegenüber 12/4b ÜB
gehen (1), er geht, ist gegangen *(Wie geht's?)* 1/2a
gehen (2), er geht, ist gegangen *(Gehst du gern ins Kino?)* 2/2a
gehen (3), er geht, ist gegangen *(Hörst du gern Musik? – Es geht so.)* 2/2b
gehen (4), er geht, ist gegangen *(Gehen wir ins Kino? – Nein, das geht leider nicht.)* 2/4c
gehen (5), er geht, ist gegangen *(Meine Kinder gehen in Frankfurt in die Schule.)* 5/8a
gehen (6), er geht, ist gegangen *(Zahlen, bitte. – Gern. Geht das zusammen?)* 6/12b ÜB
gehören 12/7d
Geige, die, -n 5/7a
Geigenunterricht, der (Sg.) 5/7a
gelb 9/9a
Geld, das, -er 2/6a
Gemüse, das, - 4/1a
gemütlich 9/7a
genau (1) *(Ja, genau.)* 3/7c
genau (2) *(Wo genau sind die Dinge?)* 9/6b
genießen, er genießt, hat genossen 6/15a
genug 7/5a ÜB
geöffnet 6/14a
Gepäck, das (Sg.) 12/1b
gerade 8/2a
geradeaus 3/7b
Gerät, das, -e 9/1a
Gericht, das, -e 4/11
gern 2/1
gerne 4/7a
Geschäft, das, -e 4/2c
Geschenk, das, -e 6/6a
Geschichte, die, -n 11/1b
Geschirr, das (Sg.) 12/1b
geschlossen 11/11b ÜB
Geschwister, die (Pl.) 5/8a ÜB
Gesicht, das, -er 8/6b ÜB
Gespräch, das, -e 1/7b
Gesprächsthema, das, -themen 7/9c
gestern 7/9c
gesund 4/9a
Getränk, das, -e 4/3b
getrennt 6/12a
Gewicht, das (Sg.) 8/5b
Glas, das, ⸚er 2/6a
glauben *(Ich glaube, der Mann klettert.)* 6/1a
gleich (1) *(Das Essen ist gleich fertig.)* 4/3a

gleich (2) *(Welche Wörter sind in anderen Sprachen gleich?)* 11/2b
gleichfalls 4/7a
Gleis, das, -e 12/4b ÜB
Glück, das (Sg.) *(So ein Glück!)* 3/6b
glücklich 8/13a
Glückwunsch, der, ⸚e 9/5c
Grad, der, -e 12/11b
Gramm, das, - 4/6a
Grammatik, die, -en 1/k&k
grau 9/9a
Griechenland 1/8a ÜB
grillen 4/3a
Grillparty, die, -s 4/3b
groß 2/7a
Größe, die, -n 8/5b
Großeltern, die (Pl.) 5/8a ÜB
Großmutter, die, ⸚ 5/8a ÜB
Großvater, der, ⸚ 5/8a ÜB
grüezi 3/2a
grün 2/11a
Grund, der, ⸚e 12/7c
Gruppe, die, -n 3/3
Gruß, der, ⸚e *(Liebe Grüße)* 5/11a
grüß Gott 3/2a
grüßen 1/k&k
Grußformel, die, -n 7/8b
günstig 9/3d
Gurke, die, -n 4/1a
gut (1) *(Guten Tag!)* 1/1a
gut (2) *(Wie geht es Ihnen? – Danke, sehr gut!)* 1/2a
gut (3) *(Kommst du? – Also gut …)* 4/6a
gut (4) *(Entschuldigung! – Schon gut.)* 5/15c
gute Besserung 8/8b
gute Nacht 1/3a
guten Abend 1/3a
guten Appetit 4/1a
guten Morgen 1/3a
guten Tag 1/1a
Haar, das, -e 8/6b ÜB
haben (1), er hat, hat gehabt *(Ich habe pro Woche 24 Stunden Seminare und Kurse.)* 2/7a
haben (2), er hat, hat gehabt *(Ich hätte gern einen Termin.)* 5/13a
haben (3), er hat, hat gehabt *(Ich habe heute lange gelernt.)* 10/3a
Hafen, der, ⸚ 3/1b
Hähnchen, das, - 4/3c ÜB
halb *(Ich frühstücke um halb acht.)* 4/9a
halbe Stunde, die, -n 5/15b
Halbmarathon, der, -s 6/15a
hallo 1/2a
Hals, der, ⸚e 8/6a
Halsschmerzen, die (Pl.) 8/10c
Haltestelle, die, -n 12/4a
Hamster, der, - 5/10b
Hand, die, ⸚e 8/6a

Händler, der, -   10/13a
Händlerin, die, -nen   10/13a
Handschuh, der, -e   12/1b
Handtasche, die, -n   12/1b
Handtuch, das, ⸚er   1/1a
Handwerker, der, -   2/9a ÜB
Handwerkerin, die, -nen   2/9a ÜB
Handy-Akku, der, -s   12/7a
Handynummer, die, -n   1/6b
hässlich   9/7a
Hauptstadt, die, ⸚e   11/12a
Haus, das, ⸚er   3/4b
Hausaufgabe, die, -n   5/11a
Haushalt, der, -e   11/12b
Haushaltswaren, die (Pl.)   11/10a
Hausmeister, der, -   7/5f
Hausmeisterin, die, -nen   7/5f
Hausmittel, das, -   8/12b
Hausnummer, die, -n   2/12b
Heft, das, -e   9/11b
Heimat, die (Sg.)   10/7a
heiß   7/9d
heißen (1), er heißt, hat geheißen
  („Würstchen" heißt auf Italienisch
  „wurstel".)   1/1b
heißen (2), er heißt, hat geheißen (Ich
  heiße Niklas.)   1/2a
helfen, er hilft, hat geholfen   4/11
hell   9/3a
Helm, der, -e   12/1b
Hemd, das, -en   11/1a
her   10/10a
Herbst, der (Sg.)   3/10a
Herd, der, -e   9/1a
Herr (Guten Tag, Herr Hansen.)   1/3a
Herrenmode, die, -n   11/10a
herzlich (Herzliche Grüße)   6/8
heute   3/6b
hey   5/10b
hi   6/3a
hier   2/7a
Hilfe, die, -n (Danke für Ihre Hilfe.)   8/13b
Himmelsrichtung, die, -en   12/11a
hin|legen (sich)   8/8b
hinter (+ D.)   9/6b
Hitze, die (Sg.)   12/11d
Hobby, das, -s   2/3d
hoch   3/1b
hoch|fahren, er fährt hoch, hat
  hochgefahren (Er fährt den Computer
  hoch.)   7/6a
Hochhaus, das, ⸚er   9/10a
Hof, der, ⸚e   11/12b
hoffentlich   6/6a
höflich   5/14
Höflichkeit, die (Sg.)   5/14
holen (1) (Ich muss noch Geld
  holen.)   7/5a ÜB
holen (2) (Hol ein Glas Wasser.)   8/3a
Holz, das, ⸚er   9/10a

Homepage, die, -s   5/10a
Honig, der (Sg.)   8/12a
hören   1/2a
Hose, die, -n   11/1a
Hotel, das, -s   3/2a
Hotelchef, der, -s   10/7a
Hotelchefin, die, -nen   10/7a
Hühnersuppe, die, -n   8/12a
Hund, der, -e   5/10a
hundert   2/7b
Hunger, der (Sg.)   6/13a
hungrig   8/1c
hurra   8/1c
husten   8/10a
Hustensaft, der, ⸚e   8/10b
Hut, der, ⸚e   11/4a
ich   1/2a
ideal   9/3c
Idee, die, -n   5/12
ihn   6/10b
Ihnen (Wie geht es Ihnen?)   1/3a
Ihr, Ihre (Wie heißen die Wörter in Ihrer
  Sprache?)   1/1b
ihr (1) (Joggt ihr morgen auch?)   2/3b
ihr (2), ihre (Die Stadthalle zeigt ihre
  Produktionen.)   3/9a
immer   2/8b
Imperativ, der, -e   3/7c
in (1) (+ D.) (Wie heißen die Wörter in Ihrer
  Sprache?)   1/1b
in (2) (+ D.) (Ich wohne in Frankfurt.)   1/4a
in (3) (+ D.) (Der Zug fährt in 8 Stunden
  nach Warschau.)   3/1b
Individualist, der, -en   11/12b
Individualistin, die, -nen   11/12b
individuell   11/12a
Indonesisch   1/1a
Infinitiv, der, -e   2/3c
Informatiker, der, -   2/9a
Informatikerin, die, -nen   2/9a
Information, die, -en   2/7c
informell   1/3b
Infotext, der, -e   11/12a
Ingenieur, der, -e   2/9a
Ingenieurin, die, -nen   2/9a
inhalieren   8/12b
inoffiziell   5/5a
Insel, die, -n   12/12b
insgesamt   10/13a
interessant   3/2b
interessieren   7/9c
international   1/1a
Internet, das (Sg.)   10/7a
Interrogativartikel, der, -   11/k&k
Interview, das, -s   1/4b
Italien   1/8a ÜB
Italienisch   1/1a
ja (1) (Liest du gern? – Ja, sehr
  gern.)   2/2b

ja (2) (Wir können ja morgen telefonieren,
  okay?)   5/11c
Ja-/Nein-Frage, die, -n   2/5b
Jacke, die, -n   11/1a
Jahr (1), das, -e (Ich fahre 68.000 Kilometer
  pro Jahr.)   2/7a
Jahr (2), das, -e (Ich bin 22 Jahre alt.)   2/7a
Jahrestreffen, das, -   7/7a
Jahreszeit, die, -en   3/10b
Januar, der (Sg.)   3/10a
Japan   1/8a
Japanisch   1/1a
Jeans, die, -   11/2a ÜB
jede, jeder   2/5b
jemand   8/12b
jetzt   3/6b
Job, der, -s   10/7a
Job-Portal, das, -e   10/7a
joggen   2/2a
Joghurt, der/das, -s   4/1a
Journalist, der, -en   2/9a ÜB
Journalistin, die, -nen   2/9a ÜB
Jugendherberge, die, -n   12/7a
Jugendliche, der/die, -n   11/10a
Juli, der (Sg.)   3/10a
jung   9/3c
Junge, der, -n   5/8b ÜB
Juni, der (Sg.)   3/10a
Jurist, der, -en   2/9a ÜB
Juristin, die, -nen   2/9a ÜB
k.o.   12/7a
Kaffee, der, -s   4/1a
Kaffeehaus, das, ⸚er   6/14a
Kaffeemaschine, die, -n   9/1a
Kalender, der, -   5/7a
kalt   6/13b
Kamera, die, -s   11/10a
Kantine, die, -n   4/9a
Kapitel, das, -   2/6c
kaputt   11/10c
Karate   2/12b
Karriere, die, -n   10/2a
Karte (1), die, -n (Schreiben Sie fünf Karten
  mit Nomen.)   5/10c
Karte (2), die, -n (Die Karten für das
  Konzert kosten 49 €.)   6/15a
Karte (3), die, -n (Sie können mit Karte
  oder bar zahlen.)   12/3a ÜB
Karte (4), die, -n (Suchen Sie die Städte auf
  der Karte.)   12/11a
Kartoffel, die, -n   4/1a
Karussell, das, -e   10/13a
Käse, der (Sg.)   4/1a
Kasse, die, -n   11/10a
Kassenzettel, der, -   4/6a
kaufen   4/2c
Kaufhaus, das, ⸚er   10/1 ÜB
kaum   10/5a
kein, keine   2/12b
Keks, der/das, -e   4/1a

Kellner, der, -   2/6a
Kellnerin, die, -nen   2/6a
kennen, er kennt, hat gekannt   1/1c
kennen|lernen   7/7a
Kilo, das, -s (= kg)   4/6d ÜB
Kilogramm, das, - (= kg)   4/6d ÜB
Kilometer, der, - (= km)   2/7a
Kind, das, -er   5/7b
Kindergarten, der, "   1/1a
Kinderzimmer, das, -   9/1a
Kino, das, -s   2/2a
Kirche, die, -n   3/1b
Kiste, die, -n   9/4f ÜB
Klamotten, die (Pl.)   11/5a
klar (1) (Kommst du heute? – Klar.)   6/3a
klar (2) (Und, wie geht's? – Alles klar.)   7/1c
Kleid, das, -er   11/2a
Kleidergeschäft, das, -e   11/3a
Kleiderkauf, der, "e   11/k&k
Kleidung, die (Sg.)   11/2a
klein   4/11
klettern   6/1a
klingen, er klingt, hat geklungen (Machen wir eine Fahrradtour? – Klingt gut.)   6/3a
klopfen   3/5b
Kneipe, die, -n   6/14a
Knie, das, -   8/6a
Koch, der, "e   2/9a ÜB
kochen   2/2a
Köchin, die, -nen   2/9a ÜB
Koffer, der, -   1/1a
Kofferpacken, das (Sg.)   12/2d
Kollege, der, -n   2/2a
Kollegin, die, -nen   2/2a
kommen, er kommt, ist gekommen   1/4a
Kommentar, der, -e   2/3b
Kompositum, das, Komposita   8/13b
können, er kann, hat gekonnt   5/11a
Konsonant, der, -en   3/5a
Kontakt, der, -e   7/7b
Kontext, der, -e   8/13b
Konto, das, Konten   7/5a ÜB
Kontonummer, die, -n   7/5a ÜB
Kontrolle, die, -n   8/8b
kontrollieren   8/8b
Konzert, das, -e   3/1b
Konzertbeginn, der (Sg.)   6/15a
Konzerthaus, das, "er   3/1b
Konzertkarte, die, -n   3/6c
Kopf, der, "e   8/6a
Kopfschmerzen, die (Pl.)   8/10c
Körper, der, -   8/6a
Körperteil, der, -e   8/6b
korrigieren   7/5b
Kosmetik, die, -a   11/10a
Kosten, die (Pl.)   3/1b
kosten   4/6b
krank   5/7b

Kranke, der/die, -n   1/1a
Krankenhaus, das, "er   2/7a
Krankenpfleger, der, -   2/7a
Krankenpflegerin, die, -nen   2/7a
Krankheit, die, -en   7/9a
Krawatte, die, -n   11/2a
kreativ   4/11
Kreditkarte, die, -n   7/5a ÜB
kreisen   3/5b
kriegen   11/11a
Küche, die, -n   9/1a
Kuchen, der, -   4/1a
Kugelschreiber, der, -   11/10a
Kühlschrank, der, "e   9/1a
Kultur, die (Sg.)   12/12b
Kulturfestival, das, -s   10/13a
Kultur-Nacht, die, "e   6/15a
Kunde, der, -n   5/14
Kundenbesuch, der, -e   7/3a
Kundin, die, -nen   5/14
Kunst, die, "e   12/5b
Kunsthalle, die, -n   3/2b
Künstler, der, -   10/1b
Künstlerin, die, -nen   10/1b
Kurs, der, -e   2/6c
Kursplakat, das, -e   1/1c
Kursraum, der, "e   2/5b
Kursstatistik, die, -en   10/2b
kurz (1) (Schreiben Sie einen kurzen Text.)   1/8e
kurz (2) (Es ist kurz nach acht.)   5/5a
Kurzform, die, -en   7/5d
Label, das, -s   11/12a
Labor, das, -e   8/13a
Laborant, der, -en   8/13a
Laborantin, die, -nen   8/13a
Laden, der, "   11/3a
Lage, die, -n   9/11a
Lampe, die, -n   9/1a
Land, das, "er   1/8a
Landschaft, die, -en   12/12b
lang   3/1d
lange   5/2a
länger   4/11
langsam   1/7c
langweilig   7/9c
laufen (1), er läuft, ist gelaufen   6/15a
laufen (2), es läuft, ist gelaufen (Heute läuft es gut. Die Präsentation ist fast fertig.)   10/3a
laut   1/6a
Leben, das, -   7/2a
leben   8/1a
lebendig   11/12a
Lebensmittel, das, -   4/1a
lecker   4/7a
ledig   5/8a
leer (1) (Mein Akku ist gleich leer.)   7/6a
leer (2) (Der Kühlschrank ist leer.)   10/3a
Lehrer, der, -   2/9a

Lehrerin, die, -nen   2/9a
leicht   7/2a
leider   2/4c
leid|tun, er tut leid, hat leidgetan (Tut mir leid.)   5/12
leise   8/4
lernen (Sie lernt Spanisch.)   1/8a
Lernkarte, die, -n   2/8c
Lernwortschatz, der, "e   2/6c
lesen, er liest, hat gelesen   1/2a
letzte, letzter   10/3a
Leute, die (Pl.)   2/1
Licht, das, -er   9/4f ÜB
lieb (Liebe Grüße)   5/11a
lieben   2/3a
Lieblingsfarbe, die, -n   12/7d
Lieblingsort, der, -e   9/2a
Lieblingszimmer, das, -   9/2b
Lied, das, -er   7/2a
liegen, er liegt, hat gelegen (Wo liegen die Städte in Deutschland?)   12/11a
lila   9/9a
Limonade, die, -n   4/6b
links   3/7a
Liste, die, -n   10/5b
Liter, der, -   4/6d ÜB
Löffel, der, -   6/11c ÜB
Loft, das, -s   9/10a
Lokal, das, -e   6/14a
los sein, er ist los, ist los gewesen (Was ist los?)   6/15a
los|fahren, er fährt los, ist losgefahren   12/7a
los|gehen, er geht los, ist losgegangen   8/1c
Lösung, die, -en   3/2b
Lust, die (Sg.) (Kommst du mit? – Nein, ich habe keine Lust.)   6/15c
lustig   2/3b
machen (1) (Machen Sie ein Kursplakat.)   1/1c
machen (2) (Zahlen, bitte. – Gern. Das macht 12 Euro, bitte.)   4/6a
machen (3) (Entschuldigung! – Macht nichts.)   5/15c
Mädchen, das, -   5/8b ÜB
Mahlzeit, die, -en (Guten Appetit! – Mahlzeit!)   4/7b
Mai, der (Sg.)   3/10a
Mail, die, -s   6/8
Mal, das, -e (Würfeln Sie drei Mal.)   3/8
mal   10/3a
malen   10/1a
man   1/7b
manchmal   4/9a
Mann (1), der, "er (Der Mann möchte ein Brötchen.)   4/8a
Mann (2), der, "er (Mein Mann und ich frühstücken zusammen.)   4/9a

Mann (3), der, ⸚er (*Mann, bin ich froh!*) 12/7a
männlich 2/12b
Mantel, der, ⸚ 11/2a ÜB
Marathon, der, -s 6/15a
markieren 2/6b
Markt, der, ⸚e 3/8
Marmelade, die, -n 4/1a
März, der (Sg.) 3/10a
maskulin 2/6a
Maß, das, -e 4/6d ÜB
Mathe-Test, der, -s 5/7a
Maus, die, ⸚e 5/10b
maximal 9/3a
Mechaniker, der, - 2/9a ÜB
Mechanikerin, die, -nen 2/9a ÜB
Medien, die (Pl.) 7/6a
Medikament, das, -e 2/6a
Meer, das, -e 3/1b
mehr (*Wir haben keinen Käse mehr.*) 4/3b
mehrere 2/6a
mein, meine 1/3a
meinen 11/4a
meistens 2/7a
melden (sich) 10/11c
Mensa, die, Mensen 5/1a
Mensch, der, -en 3/1b
merken 2/11a
Messer, das, - 6/11c ÜB
Meter, der, - 3/1b
Methode, die, -n 4/10c
Metzgerei, die, -en 4/2a
Mexiko 1/8a ÜB
mich 6/10b
Miete, die, -n 9/3b
Milch, die (Sg.) 4/1a
Milliarde, die, -n 2/k&k
Million, die, -en 2/k&k
mindestens 8/3a
Mindmap, die, -s 4/10a
minus 1/7b
Minute, die, -n 5/15a
mir (*Tut mir leid.*) 5/12
mischen 10/6
Missfallen, das (Sg.) 9/k&k
Mist, der (Sg.) (*Mist, mein Akku ist gleich leer.*) 7/6a
Mistwetter, das (Sg.) 12/11d
mit (+ D.) 2/3d
Mitarbeiter, der, - 7/3a
Mitarbeiterin, die, -nen 7/3a
mit|bringen, er bringt mit, hat mitgebracht 6/6a
Mitglied, das, -er 7/7a
mit|kommen, er kommt mit, ist mitgekommen 6/6a
mit|lesen, er liest mit, hat mitgelesen 1/7a
mit|machen 6/6a

mit|nehmen, er nimmt mit, hat mitgenommen 7/1a
mit|sprechen, er spricht mit, hat mitgesprochen/1 6a
Mittag, der, -e 4/9a
Mittagessen, das, - 4/1a
mittags 4/9a
Mittagspause, die, -n 7/9a
Mitte, die (Sg.) 3/1b
Mittwoch, der, -e 2/4a
Möbel, die (Pl.) 9/1a
möchten, er möchte, hat gemocht 4/6a
Modalverb, das, -en 5/11a
Mode, die, -n 11/10a
Modedesigner, der, - 11/12a
Modedesignerin, die, -nen 11/12a
Modefan, der, -s 11/12a
Modell, das, -e 11/12b
Modeschule, die, -n 11/12a
mögen, er mag, hat gemocht 4/9a
Möglichkeit, die, -en 2/6a
moin 3/2a
Moment, der, -e (*Im Moment lese ich ein Buch von Daniel Kehlmann.*) 2/3b
Monat, der, -e 3/10a
Montag, der, -e 2/4a
morgen 2/3b
Morgen, der, - 4/9a
morgens 4/9a
Motorrad, das, ⸚er 5/10a
müde 8/1c
Mund, der, ⸚er 8/6b ÜB
Museum, das, Museen 2/5b
Museumsnacht, die, ⸚e 6/15a
Musik, die (Sg.) 2/2a
Musikgruppe, die, -n 7/7a
Musikproduktion, die, -en 11/12a
Musikschule, die, -n 5/7b
Müsli, das, -s 4/1a
müssen, er muss, hat gemusst 5/11a
Mutter, die, ⸚ 5/7a
Muttersprache, die, -n 4/1b
Mütze, die, -n 11/2a ÜB
nach (1) (+ D.) (*Fragen Sie nach der Telefonnummer.*) 1/6c
nach (2) (+ D.) (*Der Zug fährt nach Warschau.*) 3/1b
nach (3) (+ D.) (*Es ist zwanzig nach sieben.*) 5/5a
nach Hause 7/5a
Nachbar, der, -n 7/1e
Nachbarin, die, -nen 7/1e
nach|fragen 10/k&k
Nachmittag, der, -e 2/7a
nachmittags 4/9a
Nachname, der, -n 1/3b
Nachricht, die, -en (*Sie schreibt Paul eine Nachricht.*) 4/3a
Nachrichten, die (Pl.) (*Er liest Nachrichten im Internet.*) 10/9a

nach|sprechen, er spricht nach, hat nachgesprochen 2/4c
nächste, nächster 5/11a
Nacht, die, ⸚e 6/15a
Nachteil, der, -e 9/10b
nachts 2/7a
Nähe, die (Sg.) 9/3c
Name, der, -n 1/2c
Nase, die, -n 8/6b ÜB
Natur, die (Sg.) 6/15a
natürlich (1) (*Das ist natürlich nicht so schön.*) 4/11
natürlich (2) (*Ein Wasser, bitte. – Natürlich. Ich bringe es gleich.*) 6/10b
neben (+ D.) 9/6b
Negationsartikel, der, - 3/6c
negativ 9/7b
nehmen (1), er nimmt, hat genommen (*Ich nehme ein Brötchen, bitte.*) 4/6a
nehmen (2), er nimmt, hat genommen (*Den Hustensaft müssen Sie abends nehmen.*) 8/10b
nehmen (3), er nimmt, hat genommen (*Er hat vier Wochen Urlaub genommen.*) 10/5a
nehmen (4), er nimmt, hat genommen (*Nehmen Sie den Bus Nummer 18 zum Flughafen.*) 12/4b ÜB
nein 2/2b
Nelke, die, -n 8/12a
nennen, er nennt, hat genannt 2/3c
nerven 11/5a
nett 4/11
Netz, das (Sg.) (*Ich habe kein Netz.*) 7/6a
neu 2/12a
neun 1/6a
neunzehn 1/6a
neunzig 2/k&k
neutral 7/9c
neutrum 2/6a
nicht 1/7c
nicht mehr 9/7a
nicht nur 11/12b
nichts 4/9a
nie 9/11a
noch (*Kennen Sie noch andere Berufe?*) 2/9a
noch einmal 1/7c
noch mal (*Wie war noch mal Ihr Name, bitte?*) 5/13a
Nomen, das, - 2/6b
Nominativ, der, -e 4/3d
Norden, der (Sg.) 12/11a
normal 10/9a
normalerweise 4/11
Notarzt, der, ⸚e 8/13a
Notärztin, die, -nen 8/13a
notieren 1/5a
Notiz, die, -en 2/9b
November, der (Sg.) 3/10a

Nudel, die, -n   1/1a
null   1/6a
Nummer, die, -n   12/4b
nummerieren   5/1b
nur   4/9a
nur noch   10/7a
oben   9/1b
Obst, das (Sg.)   4/9a
oder (1) *(Julia oder Niklas)*   1/2c
oder (2) *(Das ist schrecklich, oder?)*   7/9d
offen   5/14
offiziell   5/5a
offline   7/6a
öffnen (1) *(eine Datei öffnen)*   7/6a
öffnen (2) *(Wir öffnen unsere Bäckerei auch am Sonntag.)*   11/11b ÜB
Öffnungszeiten, die (Pl.)   11/12c
oft   2/5a
ohne (+ A.)   11/5a
Ohr, das, -en   8/6b ÜB
okay   3/2b
Oktober, der (Sg.)   3/10a
Öl, das, -e   4/1a
Olive, die, -n   4/3c ÜB
Oma, die, -s   5/1a
Onkel, der, -   5/7a
online   11/5a
Opa, der, -s   5/8a ÜB
Open-Air-Kino, das, -s   6/15a
Oper, die, -n   10/13a
orange   9/9a
Orangensaft, der, ⁼e   4/1a
Orchester, das, -   3/9a
Ordinalzahl, die, -en   6/4a
ordnen *(Ordnen Sie den Dialog.)*   6/12a
orientieren (sich)   11/k&k
originell   11/12b
Ort, der, -e   3/1d
Ortsangabe, die, -n   7/5d
Ortsveränderung, die, -en   10/8a
Osten, der (Sg.)   12/11a
Österreich   1/8a
Paar, das, -e   4/10b
packen   9/4f ÜB
Packung, die, -en   4/6d ÜB
Paket, das, -e   7/1a
Pantomime, die (Sg.)   6/2b
Papier, das, -e   11/10c
Papiere, die (Pl.) *(Ich brauche Ihre Papiere: den Ausweis oder Pass.)*   12/3a ÜB
Parfüm, das, -e/-s   11/10a
Parfümerie, die, -n   11/10a
Park, der, -s   3/8
Partizip, das, -ien   10/3b
Partner, der, -   1/5b
Partnerin, die, -nen   1/5b
Party, die, -s   5/11c
Pass, der, ⁼e   12/3a ÜB
passen (1) *(Welches Foto passt zum Text?)*   2/6a

passen (2) *(Die Hose hat nicht gepasst.)*   11/5a
passend   3/3
passieren   6/9
Passwort, das, ⁼er   7/6a
Patient, der, -en   2/7a
Patientin, die, -nen   2/7a
Pause, die, -n   7/2a
Pech, das (Sg.)   12/11b
Pension, die, -en   12/7a
perfekt   8/12b
Perfekt, das (Sg.)   10/3b
Person, die, -en   1/2a
Personalpronomen, das, -   1/3b
persönlich   2/12a
Pfeffer, der, -   4/1a
Pflanze, die, -n   9/1b
Pflaster, das, -   8/11a ÜB
Physiotherapeut, der, -en   8/13a
Physiotherapeutin, die, -nen   8/13a
Physiotherapie, die, -n   8/13a
Picknick, das, -s   6/3a
Pizza, die, -s/Pizzen   4/9a
Plakat, das, -e   3/10d
Plan, der, ⁼e   3/2b
planen   4/3b
Platz (1), der (Sg.) *(Wir haben Platz für 1.250 Patienten.)*   2/7a
Platz (2), der, ⁼e *(Das Kino ist am Potsdamer Platz.)*   12/4b
Plural, der, -e   2/6a
Pluralendung, die, -en   2/8b
Pluralform, die, -en   2/8a
plus   5/10c
Polen   1/8b
Politik, die (Sg.)   7/9a
Polizist, der, -en   2/9a ÜB
Polizistin, die, -nen   2/9a ÜB
Polnisch   1/8b
Pommes, die (Pl.)   6/11
Pommes frites, die (Pl.)   4/3c ÜB
populär   12/12b
Portugal   1/8a ÜB
Portugiesisch   1/8a
Position, die, -en   3/k&k
positiv   9/7b
Possessivartikel, der, -   5/8a
Post, die (Sg.)   7/5b
Postkarte, die, -n   12/5a
Postleitzahl, die, -en   2/12b
Präfix, das, -e   11/5b
Praktikum, das, Praktika   7/2a
praktisch   11/12b
Präposition, die, -en   6/k&k
Präsentation, die, -en   7/7a
präsentieren   2/7d
Präteritum, das, Präterita   6/13b
Praxis, die, Praxen *(Mara ruft in der Praxis von Dr. Steinig an.)*   5/13a
Preis, der, -e   4/6a

pro   2/7a
probieren   4/11
Problem, das, -e   5/11a
Produkt, das, -e   11/10b
Produktion, die, -en   3/9a
Professor, der, Professoren   10/3a
Professorin, die, -nen   10/3a
Profil, das, -e   10/7a
Programm, das, -e   6/15a
Projekt, das, -e   10/3a
Pronomen, das, -   5/10c
prost   4/7b
Prüfung, die, -en   10/4a
Publikum, das (Sg.)   3/9a
Pulli, der, -s   11/9b
Pullover, der, -   11/2a
Punkt (1), der, -e *(der Punkt am Satzende)*   1/7b
Punkt (2), der, -e *(Geben Sie Punkte: Was ist wichtig, was nicht?)*   10/2a
pünktlich   5/15c
Pünktlichkeit, die (Sg.)   5/15a
qm (= *Quadratmeter*)   9/3a
Quatsch, der (Sg.)   11/4a
Radiosendung, die, -en   10/1b
Ratebild, das, -er   6/2b
raten, er rät, hat geraten   1/5b
Rathaus, das, ⁼er   3/1b
Rätoromanisch   1/8b
rauchen   8/10b
Raum, der, ⁼e   9/10a
rausⵍgehen, er geht raus, ist rausgegangen   8/3a
reagieren   1/k&k
Reaktion, die, -en   11/5a
recherchieren   4/6c
Rechnung, die, -en   2/6a
rechts   3/2b
Redemittel, das, -   1/k&k
reden   7/9c
Regal, das, -e   9/1a
Regel, die, -n   5/9
regelmäßig   8/1c
Regen, der, -   6/6a
Regenjacke, die, -n   12/1b
Regenschirm, der, -e   12/1b
Regisseur, der, -e   3/9a
Regisseurin, die, -nen   3/9a
regnen   7/9d
Reihenfolge, die, -n   7/1c
Reihenhaus, das, ⁼er   9/10a
Reis, der (Sg.)   4/3c ÜB
Reise, die, -n   12/7d
Reisebericht, der, -e   12/7a
Reiseführer (1), der, - *(Ich arbeite als Reiseführer.)*   1/4a
Reiseführer (2), der, - *(Liest du den Reiseführer über Basel?)*   12/1b
Reiseführerin, die, -nen   1/4a
reisen   2/2a

Reisetasche, die, -n   12/1b
Reiseziel, das, -e   12/12a
Religion, die, -en   7/9a
renoviert   9/3c
Requiem, das, -s   3/9a
reservieren   12/3a ÜB
Restaurant, das, -s   2/5b
Rezept, das, -e   8/8a
Rezeption, die, -en   12/3a ÜB
richtig (1) *(Ist der Satz richtig oder
      falsch?)*   3/2b
richtig (2) *(Morgens bin ich richtig
      hungrig.)*   8/1c
riechen, er riecht, hat gerochen   8/6c ÜB
Rock, der, ⸚e   11/1a
Rolle, die, -n *(Tauschen Sie die
      Rollen.)*   8/11
Rollenkarte, die, -n   5/14
rot   2/11a
Route, die, -n   12/4a
Rücken, der, -   8/6a
Rückenschmerzen, die (Pl.)   8/10c
ruhig *(Seid bitte ruhig!)*   8/3d
rund *(Rund 1.000 Studenten gibt es an der
      Uni.)*   11/12a
rund um *(Berufe rund ums Essen)*   4/11
Russisch   1/1a
Russland   1/8b
Sache, die, -n   11/5a
Saft (1), der, ⸚e *(Ich trinke gerne
      Saft.)*   4/5a
Saft (2), der, ⸚e *(Nehmen Sie einen Saft
      gegen den Husten.)*   8/11a ÜB
sagen   1/7b
Sahne, die (Sg.)   4/1a
Saison, die, -en/-s   11/12b
Saison-Job, der, -s   10/13f
Salami, die, -s   6/11
Salat, der, -e   4/1a
Salbe, die, -n   8/8a
Salz, das, -e   4/1a
sammeln   1/1c
Samstag, der, -e   2/4a
Samstagabend, der, -e   9/5c
samstags   7/7a
Sandwich, der/das, -s   6/14a
satt   4/7a
Satz, der, ⸚e   3/4c
Satzende, das, -n   5/k&k
Satzklammer, die, -n   5/k&k
Satzmelodie, die, -n   2/4c
sauber   12/7a
sauber machen   8/8b
Saxofon, das, -e   5/10b
S-Bahn, die, -en   3/6a ÜB
schade   5/12
schaffen   8/1c
Schaffner, der, -   12/7a
Schaffnerin, die, -nen   12/7a
Schal, der, -s   11/4b

schälen   4/11
schauen   11/4a
Schauspieler, der, -   3/9a
Schauspielerin, die, -nen   3/9a
scheinen, er scheint, hat
      geschienen   9/5a
schenken   6/3a
schicken   6/6a
Schiff, das, -e   3/1b
Schild, das, -er   11/11b ÜB
Schinken, der, -   4/1a
schlafen, er schläft, hat geschlafen   4/9a
Schlafsack, der, ⸚e   12/1b
Schlaftablette, die, -n   8/12b
Schlafzimmer, das, -   9/1a
schlecht *(Mir ist schlecht.)*   8/10a
schließen (1), er schließt, hat geschlossen
      (Bitte schließ die Tür.)   9/4f ÜB
schließen (2), er schließt, hat geschlossen
      *(Unser Geschäft schließt am Freitag
      schon um 15 Uhr.)*   11/11b ÜB
Schluss, der, ⸚e   12/3d
Schlüssel, der, -   2/6a
schmecken   4/3c ÜB
Schmerz, der, -en   8/10b
Schmuck, der (Sg.)   11/10a
Schnee, der (Sg.)   12/11c
schneiden, er schneidet, hat geschnitten
      (Er schneidet das Gemüse.)   4/11
schneien   12/11b
schnell   3/6b
Schnitzel, das, -   6/11
Schnupfen, der, -   8/12a
Schokolade, die, -n   4/1a
schon *(Da ist auch schon das
      Hotel.)*   3/2b
schön   3/2b
schon wieder   7/9d
Schrank, der, ⸚e   9/1a
schrecklich   7/9d
schreiben, er schreibt, hat
      geschrieben   1/7b
Schreibtisch, der, -e   9/1a
Schreibwaren, die (Pl.)   11/10a
Schuh, der, -e   11/2a ÜB
Schuhfan, der, -s   11/12b
Schuhladen, der, ⸚   11/12b
Schule, die, -n   2/12b
schütten *(Es schüttet, so ein
      Regen!)*   12/11d
schwarz   9/9a
Schweiz, die (Sg.) *(Sie kommt aus der
      Schweiz.)*   1/8a
schwer (1) *(Die Aufgabe ist gar nicht so
      schwer.)*   7/9c
schwer (2) *(Wie groß und wie schwer ist
      die Person?)*   8/5b
Schwester, die, -n   5/8a
Schwimmbad, das, ⸚er   2/5b

schwimmen, er schwimmt, ist
      geschwommen   2/2a
sechs   1/6a
sechzehn   1/6a
sechzig   2/k&k
Secondhand-Laden, der, ⸚   11/3a
See, der, -n   3/2b
Segellehrer, der, -   10/1b
Segellehrerin, die, -nen   10/1b
segeln   10/1a
sehen, er sieht, hat gesehen   3/1b
Sehenswürdigkeit, die, -en   12/6a
sehr *(Wie geht's? – Danke, sehr gut.)*   1/2a
Seife, die, -n   12/1b
sein (1), er ist, ist gewesen *(Hallo, ich bin
      Julia.)*   1/2a
sein (2), seine *(Der Regisseur präsentiert
      seinen Film.)*   3/9a
sein (3), er ist, ist gewesen *(Was ist
      passiert?)*   10/3b
seit (+ D.)   4/11
Seite, die, -n   2/6c
Sekretär, der, -e   10/7a
Sekretärin, die, -nen   10/7a
Sekunde, die, -n   5/15b
selbst   6/14a
Selbstbedienung, die (Sg.)   6/14a
selten   12/11d
Semester, das, -   10/3a
Seminar, das, -e   2/7a
Sensation, die, -en   2/3a
September, der (Sg.)   3/10a
Serbisch   1/1a
Serie, die, -n   7/9a
Serviette, die, -n   6/11c ÜB
Sessel, der, -   9/1a
Shop, der, -s   11/12b
shoppen   11/9a
shoppen gehen, er geht shoppen, ist
      shoppen gegangen   12/5a
sich   8/8b
sicher *(Heute bin ich sicher die Erste im
      Büro.)*   8/1c
Sie *(Ordnen Sie zu.)*   1/1a
sie (1) *(Sie kommt aus Deutschland.)*   1/4c
sie (2) *(Kennst du die Personen? Wo
      wohnen sie?)*   1/8a
sie (3) *(Wo ist Hanna? Das Schnitzel ist für
      sie.)*   6/10b
sieben   1/6a
siebzehn   1/6a
siebzig   2/k&k
Silbenanfang, der, ⸚e   7/4c
singen, er singt, hat gesungen   2/2a
Singular, der, -e   2/8a
Situation, die, -en   1/2b
sitzen, er sitzt, hat gesessen   5/15a
Ski, der, -   6/1a
Skifahren, das (Sg.)   12/7d
Ski-Urlaub, der, -e   12/1a

Small Talk, der, -s   7/9c
Snowboard-Urlaub, der, -e   12/1a
so (1) *(Schwimmst du gern? – Nein, nicht so gern.)*   2/2b
so (2) *(Singst du gern? – Es geht so.)*   2/2b
so (3) *(So sagt man auf Deutsch: …)*   3/2a
so (4) *(So ein Zufall!)*   7/5c
so (5) *(So, Herr Wolan, wie geht es Ihnen?)*   12/3a ÜB
Sofa, das, -s   9/1a
sofort   8/8c
Sohn, der, ⸚e   5/7b
Solist, der, -en   3/9a
Solistin, die, -nen   3/9a
sollen, er soll, hat gesollt   8/8c
Sommer, der, -   3/10a
Sommerfest, das, -e   7/3a
Sonne, die (Sg.)   6/14a
Sonnenbrille, die, -n   12/1b
Sonnencreme, die, -s   12/1b
sonnig   12/11b
Sonntag, der, -e   2/4a
Sonntagnachmittag, der, -e   5/11a
sonst   4/6a
Souvenir, das, -s   11/12b
Spaghetti, die (Pl.)   2/3b
Spanien   1/8b
Spanisch   1/1b
Spaß, der (Sg.) *(Kochen macht Spaß.)*   4/11
spät   5/5a
später   7/1c
spazieren gehen, er geht spazieren, ist spazieren gegangen   12/3b
Spaziergang, der, ⸚e   10/9a
speichern   7/6a
Speisekarte, die, -n   6/11
Spezialität, die, -en   7/7a
Spiel, das, -e *(Florian hat am Sonntag ein Spiel.)*   5/7a
spielen   1/2b
Spielplatz, der, ⸚e   6/14a
Spielwaren, die (Pl.)   11/10a
Sport, der (Sg.)   5/10a
Sportclub, der, -s   2/12b
Sportkleidung, die (Sg.)   11/10a
Sportler, der, -   8/13a
Sportlerin, die, -nen   8/13a
sportlich   8/3a
Sportschuh, der, -e   8/3a
Sprache, die, -n   1/1b
Sprachinstitut, das, -e   7/7b
Sprachkurs, der, -e   5/12
Sprachnachricht, die, -en   8/2a
Sprachschule, die, -n   5/14
sprechen, er spricht, hat gesprochen   1/4a
Spritze, die, -n   2/6a

Spülmaschine, die, -n   9/1a
Stadion, das, Stadien   2/5b
Stadt, die, ⸚e   1/8e
Städtereise, die, -n   12/3a
Stadtführung, die, -en   12/3a
Stadtpark, der, -s   7/7a
Stadttour, die, -en   3/1a
Stadturlaub, der, -e   12/1a
Stapel, der, -   5/10c
Star, der, -s   3/1b
Start, der, -s   3/8
Station, die, -en   3/1a
Statist, der, -en   10/13d
Statistik, die, -en   10/4a
Statistin, die, -nen   10/13d
statt|finden, er findet statt, hat stattgefunden   10/13a
stehen (1), er steht, hat gestanden *(Wo steht die Frau?)*   2/10a
stehen (2), er steht, hat gestanden *(Die Hose steht dir sehr gut.)*   11/1a
Stelle, die, -n   10/7a
stellen (1) *(eine Frage stellen)*   3/k&k
stellen (2) *(Carla will den Computer in die Küche stellen.)*   9/4a
Stichpunkt, der, -e   11/12b
Stiefel, der, -   11/2a ÜB
Stift, der, -e   2/6a
stimmen (1) *(Oliven sind oft teuer. – Ja, stimmt.)*   4/3b
stimmen (2) *(Das macht 13,80 €. – Hier sind 15 €. Stimmt so.)*   6/12a
Stock, der, ⸚e   9/3c
Stollen, der, -   10/13a
Strand, der, ⸚e   12/12b
Strandbar, die, -s   6/14a
Straße, die, -n   2/6a
Straßenbahn, die, -en   3/6a ÜB
Strategie, die, -n   8/13a
Stress, der (Sg.)   5/11a
stressig   4/11
Stück, das, -e/-   4/6a
Student, der, -en   2/6a
Studentin, die, -nen   2/6a
studieren   2/9b
Studio, das, -s   10/4a
Studium, das, Studien   10/1a
Stuhl, der, ⸚e   9/1a
Stunde, die, -n   2/7a
Subjekt, das, -e   1/k&k
suchen   2/6c
Südamerika   7/7a
Süden, der (Sg.)   12/11a
super   2/3a
Supermarkt, der, ⸚e   4/2a
supernett   7/2a
Suppe, die, -n   4/1a
Suppenhuhn, das, ⸚er   8/12b
Sushi, das, -s   4/9a

süß (1) *(Schokolade schmeckt süß.)*   4/3c ÜB
süß (2) *(Euer Hund ist so süß.)*   5/10b
Süßigkeit, die, -en   8/1c
Sweatshirt, das, -s   11/4b
Symbol, das, -e   3/1b
Szene, die, -n   11/12a
Tabelle, die, -n   1/8a
Tablette, die, -n   2/6a
Tafel (1), die, -n *(Schreiben Sie den Satz an die Tafel.)*   8/4
Tafel (2), die, -n *(Sehen Sie die Tafel im Kaufhaus an.)*   11/10c
Tag, der, -e   2/5b
Tageszeit, die, -en   5/k&k
täglich   8/1c
Tante, die, -n   12/5a
tanzen   2/2a
Tasche, die, -n   11/2a ÜB
Tasse, die, -n   6/11c ÜB
tatsächlich   12/7a
tauschen   2/8c
tausend   2/k&k
Taxi, das, -s   2/11a
Taxifahrer, der, -   2/6a
Taxifahrerin, die, -nen   2/6a
Taxifahrt, die, -en   3/2a
Team, das, -s   4/11
Technik, die, -en   11/10a
Techniker, der, -   5/8a
Technikerin, die, -nen   5/8a
Tee, der, -s   4/1a
Teil, der, -e   6/10b
Telefon, das, -e   1/4a
Telefongespräch, das, -e   5/14
telefonieren   5/7b
Telefonnummer, die, -n   1/6c
Teller, der, -   6/11c ÜB
Tennis (Sg. ohne Artikel)   2/12b
Tennisplatz, der, ⸚e   10/9a
Teppich, der, -e   9/1a
Termin, der, -e   2/5b
Terrasse, die, -n   9/3a
Test, der, -s   3/6b
teuer   4/3b
Text, der, -e   1/8e
Textbaustein, der, -e   9/11b
Thailand   1/8a ÜB
Theater, das, -   2/5b
Theater-Festival, das, -s   3/9a
Thema, das, Themen   4/10b
thematisch   4/10c
Therapeut, der, -en   8/13b
Therapeutin, die, -nen   8/13b
Ticket, das, -s   3/9a
Ticketkauf, der, ⸚e   7/1a
Tipp, der, -s   8/12b
Tisch, der, -e   3/5b
Tochter, die, ⸚   5/7b
Toilette, die, -n   9/1a

toll   2/3a
Tomate, die, -n   4/1a
Tomatensuppe, die, -n   6/11
top   9/3c
topaktuell   11/12b
total   8/10a
Tour, die, -en   5/10b
tragen, er trägt, hat getragen   11/2a
trainieren   10/4a
Training, das, -s   5/7a
Tram, die/das, -s   12/3b
Traum, der, ⁼e   12/11b
Traumurlaub, der, -e   12/12b
treffen, er trifft, hat getroffen   5/1a
Treffpunkt, der, -e   6/6a
Trendstadt, die, ⁼e   11/12a
trennbar (trennbare Verben)   6/6c
Treppe, die, -n   9/10a
trinken, er trinkt, hat getrunken   4/8a
Trinkgeld, das, -er   6/12b
Trompete, die, -n   5/7a
Trompetenunterricht, der (Sg.)   5/7b
Tropfen, der, -   8/11a ÜB
tschüs   1/2a
T-Shirt, das, -s   11/1a
Tuch, das, ⁼er   11/4b
tun, er tut, hat getan (Was kann ich für Sie tun?)   5/13a
Tür, die, -en   9/4f ÜB
Türkei, die (Sg.)   1/8b
Türkisch   1/1a
Turm, der, ⁼e   3/1b
Tüte, die, -n   4/6a
typisch   6/14a
U-Bahn, die, -en   3/6a
über (1) (+ A.) (über andere sprechen)   1/k&k
über (2) (Der Turm ist über 120 Jahre alt.)   3/1b
über (3) (+ A.) (Sammeln Sie Informationen über Ihre Stadt.)   3/1d
über (4) (+ D.) (Das Bild ist über dem Fernseher.)   9/6b
überall   6/14a
überlegen   5/14
übernachten   12/7a
Überraschung, die, -en   6/3a
Überraschungstag, der, -e   6/6a
Überschrift, die, -en   9/10a
überweisen, er überweist, hat überwiesen   7/5a ÜB
Übung, die, -en   8/13a
Übungsbuch, das, ⁼er   2/6c
Uhr (1) (Ich arbeite von 6 bis 15 Uhr.)   4/11
Uhr (2) (Wie viel Uhr ist es?)   5/5a
Uhr (3), die, -en (Im Kaufhaus gibt es Uhren.)   11/10a
Uhrzeit, die, -en   5/4a
Ukraine, die (Sg.)   1/8b

um (1) (Abends um sieben essen wir alle zusammen.)   4/9a
um (2) (+ A.) (Ich bitte um Entschuldigung.)   5/15c
Umlaut, der, -e   4/5a
um|steigen, er steigt um, ist umgestiegen   12/4a
um|tauschen   11/5a
um|ziehen, er zieht um, ist umgezogen   9/4f ÜB
Umzug, der, ⁼e   9/4f ÜB
unbestimmt (der unbestimmte Artikel)   3/4a
und   1/1c
Unfall, der, ⁼e   8/8a
Ungarisch   1/1a
ungefähr   9/3a
unhöflich   5/14
Uni, die, -s   5/1a
Unicafé, das, -s   10/4a
Universität, die, -en   2/7a
unregelmäßig (unregelmäßige Verben)   4/k&k
uns (Wir grillen heute Abend bei uns.)   4/3a
unser, unsere   5/10a
unten   12/3a ÜB
unter (+ D.)   9/6b
Untergeschoss, das, -e   11/10a
Unterricht, der (Sg.) (Ich gebe Unterricht an der Uni.)   10/1a
unterschreiben, er unterschreibt, hat unterschrieben   9/4f ÜB
Unterschrift, die, -en   7/8a
unterstreichen, er unterstreicht, hat unterstrichen/2   7b
Unterstrich, der, -e   1/7b
untersuchen   8/13a
unterwegs   11/12b
Urlaub, der, -e   7/3a
Urlaubsnachricht, die, -en   12/11b
Urlaubsort, der, -e   12/k&k
USA, die (Pl.) (Olivia kommt aus den USA.)   1/8a
USB-Stick, der, -s   11/10a
Variation, die, -en   11/12b
variieren   1/4b
Vater, der, ⁼   5/7b
verabreden   2/k&k
Verabredung, die, -en   2/5b
verabschieden   1/k&k
Veranstaltung, die, -en   10/13b
Verb, das, -en   1/3b
Verband, der, ⁼e   8/8a
verbinden (1), er verbindet, hat verbunden (Verbinden Sie Nomen und Artikel.)   4/1a
verbinden (2), er verbindet, hat verbunden (Können Sie mich mit Frau Hofer verbinden?)   10/11a

Verbot, das, -e   8/k&k
verboten   6/9
verdienen   10/2a
vereinbaren   5/14
vergessen, er vergisst, hat vergessen   8/2a
vergleichen, er vergleicht, hat verglichen   2/6c
verheiratet   5/8a
verkaufen   10/13a
Verkäufer, der, -   2/9a
Verkäuferin, die, -nen   2/9a
verletzt   8/8a
Verletzte, der/die, -n   8/13b
vermieten   9/3c
Vermieter, der, -   9/4f ÜB
Vermieterin, die, -nen   9/4f ÜB
vermissen   8/2a
vermuten   8/12a
Verpackung, die, -en   4/6d ÜB
verpassen   12/7a
verschieden   5/12
Verspätung, die, -en   5/15b
verstehen, er versteht, hat verstanden (Das verstehe ich nicht.)   1/7c
versuchen   8/12b
Vertrag, der, ⁼e   9/4f ÜB
Verwandte, der/die, -n   5/8a ÜB
verwenden   7/2d
Video, das, -s   12/7d
viel, viele   2/7a
viel zu (Das T-Shirt ist viel zu eng.)   11/1a
vielleicht   4/3a
vier   1/6a
Viertel, das, - (Es ist Viertel nach sechs.)   5/5a
vierzehn   1/6a
vierzig   2/k&k
Vokal, der, -e   3/5a
voll (Die Kneipe ist am Abend voll.)   6/14a
von (1) (+ D.) (Ich lese ein Buch von Daniel Kehlmann.)   2/3b
von (2) (+ D.) (Was sind Sie von Beruf?)   2/7c
von ... bis (Ich arbeite von 6 bis 15 Uhr.)   2/7a
vor (1) (+ D.) (Vor dem Nomen steht der Artikel.)   3/5a
vor (2) (+ D.) (Es ist fünf vor zwei.)   5/4b
vorbei sein   10/3a
vor|bereiten   5/14
vorgestern   11/5a
vorher   5/14
vor|lesen, er liest vor, hat vorgelesen   8/4
Vorliebe, die, -n   4/k&k
Vormittag, der, -e   4/9c
vormittags   4/9a
Vorname, der, -n   1/3b
vorne   12/11a
Vorschlag, der, ⁼e   12/3b

vor|spielen   10/12

vor|stellen   *(Stellen Sie Ihren Partner im Kurs vor.)*   1/5b

Vorteil, der, -e   9/10b

wach   4/9a

wählen   2/12b

wandern   6/1a

wann   2/4a

Ware, die, -n   10/13a

warm   6/13b

warten   2/7a

warum   6/15c

was   *(Was ist das?)*   1/1a

waschen, er wäscht, hat gewaschen   4/11

Waschmaschine, die, -n   9/1a

Wasser, das, -   4/1a

wechseln   4/6a

Wechselpräposition, die, -en   9/k&k

wecken   12/7a

Weg, der, -e   3/2a

Wegbeschreibung, die, -en   3/7a

weg|räumen   8/1b

weh|tun, er tut weh, hat wehgetan   8/8b

weiblich   2/12b

Weihnachtsmarkt, der, ⸚e   10/13a

Weise, die (Sg.)   12/7c

weiß   9/9a

weit (1)   *(Von hier ist es nicht weit zur Uni.)*   9/11a

weit (2)   *(Das T-Shirt ist zu weit.)*   11/1a

weitere, weiterer   2/6c

weiter|hören   11/3c

weiter|machen   8/3a

welche, welcher   1/4a

Welt, die, -en   3/9a

wem   7/3c

wen   6/3a

wenig   4/9a

wer   *(Wer bist du?)*   1/2a

werden, er wird, ist geworden   *(Sofia wird am Samstag 30.)*   6/3a

Werkstatt, die, ⸚en   10/1 ÜB

Westen, der (Sg.)   12/11a

Wetter, das, -   6/14a

Wetterbericht, der, -e   12/11b

W-Frage, die, -n   1/4b

WG, die, -s   9/11a

wichtig   4/11

wie (1)   *(Wie heißen die Wörter in Ihrer Sprache?)*   1/1b

wie (2)   *(Machen Sie ein Interview wie in Aufgabe 4.)*   1/5a

wie bitte   10/11c

wie lange   5/7a

wie viel, wie viele   4/6a

wieder   6/13a

wieder|geben, er gibt wieder, hat wiedergegeben   8/k&k

wiederholen   8/4

wiegen, er wiegt, hat gewogen   8/5a

willkommen   5/10a

Wind, der, -e   12/11b

windig   12/11c

Winter, der, -   3/10a

Winterjacke, die, -n   12/1b

wir   2/3a

wirklich (1)   *(Spielen Sie wirklich Fußball?)*   2/3b

wirklich (2)   *(Wie war es wirklich?)*   10/9a

wissen, er weiß, hat gewusst   *(Achtung: Sofia weiß nichts!)*   6/6a

WLAN, das (Sg.)   7/6a

wo   *(Wo wohnen Sie?)*   1/4a

Woche, die, -n   2/7a

Wochenende, das, -n   2/3b

Wochentag, der, -e   2/4b

woher   *(Woher kommst du?)*   1/4a

wohin   7/5a

wohnen   1/4a

Wohnfläche, die, -n   9/3c

Wohnform, die, -en   9/10c

Wohnort, der, -e   2/12b

Wohn-Situation, die, -en   9/11a

Wohnung, die, -en   9/1a

Wohnungsanzeige, die, -n   9/3c

Wohnungssuche, die (Sg.)   9/3a

Wohnzimmer, das, -   9/1a

Wolke, die, -n   12/11b

wollen, er will, hat gewollt   5/11a

Wort, das, ⸚er   1/1b

Wortanfang, der, ⸚e   7/4c

Wortende, das, -n   5/9

Wörterbuch, das, ⸚er   2/10a

Wortgruppe, die, -n   4/10c

Wortinnere, das (Sg.)   7/4c

Wortliste, die, -n   12/10c

Wortteil, der, -e   11/10c

Wunde, die, -n   8/8b

wunderbar   12/7d

wunderschön   12/12b

Wunsch, der, ⸚e   9/3b

wünschen   12/3a ÜB

würfeln   3/8

Wurst, die, ⸚e   4/1a

Würstchen, das, -   1/1a

Würstel, das, -   1/1a

W-Wort, das, ⸚er   1/k&k

Yoga (Sg. ohne Artikel)   2/12b

Zahl, die, -en   1/6a

zahlen   6/12a

Zahn, der, ⸚e   8/6b ÜB

Zahnarzt, der, ⸚e   7/5e

Zahnärztin, die, -nen   7/5e

Zahnschmerzen, die (Pl.)   8/12a

zehn   1/6a

zeichnen   3/2b

Zeichnung, die, -en   2/11a

zeigen (1)   *(Zeigen Sie auf das Bild.)*   3/6a

zeigen (2)   *(Das Kino zeigt einen Film aus Spanien.)*   7/7a

Zeit, die, -en   *(Wir haben morgen keine Zeit.)*   4/3a

Zeitangabe, die, -n   5/15b

Zeitschrift, die, -en   11/10a

Zeitung, die, -en   5/2a

Zelt, das, -e   12/1b

zentral   9/3c

Zentrum, das, Zentren   9/3a

zerlegen   8/13b

Zettel, der, -   8/12c

ziehen (1), er zieht, hat gezogen   *(Ziehen Sie eine Karte.)*   5/10c

ziehen (2), er zieht, ist gezogen   *(Beata ist in eine Wohnung gezogen.)*   9/1b

Ziel, das, -e   3/8

Zimmer, das, -   2/7a

Zoo, der, -s   12/5a

zu (1)   *(Arbeiten Sie zu zweit.)*   1/8c

zu (2) (+ D.)   *(Was passt zu den Berufen?)*   2/6a

zu (3)   *(Er kommt zu spät.)*   5/15a

zu (4) (+ D.)   *(Meine Chefin nimmt mich zu Kunden mit.)*   7/2a

zu Fuß   *(Pia geht zu Fuß.)*   3/6a

zu Hause   5/7b

zu Mittag essen   5/2a

zu sein   11/11b ÜB

zu|bereiten   4/11

Zucker, der (Sg.)   4/1a

zuerst   1/7a

Zufall, der, ⸚e   7/5c

zufrieden   9/11a

Zug, der, ⸚e   3/1b

zu|haben, er hat zu, hat zugehabt   11/11b ÜB

zum Glück   12/11b

zum Schluss   12/3d

zum Wohl   4/7b

zu|machen   9/4f ÜB

Zumba (Sg. ohne Artikel)   2/12b

zu|ordnen   1/1a

zurück   4/11

zurück|fahren, er fährt zurück, ist zurückgefahren   12/7a

zurück|finden, er findet zurück, hat zurückgefunden   12/7b

zurück|schicken   11/5a

zurzeit   9/11a

zusammen   4/4

zusammen|gehören   1/1a

zusammen|passen   2/12a

Zuschauer, der, -   10/13a

Zuschauerin, die, -nen   10/13a

zwanzig   1/6a

zwei   1/5a

zweimal   8/10b

zweit   *(Arbeiten Sie zu zweit.)*   1/8c

Zwiebel, die, -n   4/11

zwischen (+ D.)   9/6b

zwölf   1/6a

Cover Dieter Mayr, München; **3.1** Dieter Mayr, München; **4.1, 10.3** Dieter Mayr, München; **4.2, 20.7.8** Getty Images (Erik Isakson), München; **4.3, 28.2.2** Shutterstock (sunfun), New York; **5.1, 44.1.1** Dieter Mayr (Dieter Mayr), München; **5.2, 55.1.5** Dieter Mayr, München; **5.3, 65.2, 76.1.4** Shutterstock (Flamingo Images), New York; **6.1, 80.1.1** Dieter Mayr, München; **6.2, 90.2.2** Dieter Mayr, München; **6.3, 106.1.2** Shutterstock (Borisb17), New York; **7.1, 117.2** Shutterstock (oliveromg), New York; **7.2, 129.1.1** Dieter Mayr, München; **7.3, 136.2.2** Shutterstock (cge2010), New York; **8.1** Klett-Archiv (Stefanie Dengler), Stuttgart; **8.2** Shutterstock (mtmphoto), New York; **8.3** Alamy, Abingdon, Oxfordshire; **8.4** Shutterstock (mama_mia), New York; **8.5** stock.adobe.com (Marzia Giacobbe), Dublin; **8.6** Shutterstock (MariaKovaleva), New York; **8.7** Shutterstock (Iam_Anupong), New York; **8.8** Shutterstock (Africa Studio), New York; **8.9** Shutterstock (Irina Kozorog), New York; **9.1** Shutterstock (Aaron Twa), New York; **9.2** Shutterstock (somchaij), New York; **9.3** Shutterstock (Min C. Chiu), New York; **9.4** Getty Images (John Foxx), München; **9.5** stock.adobe.com (Kzenon), Dublin; **9.6** Shutterstock (Oksana Mizina), New York; **9.7** Shutterstock (Sabphoto), New York; **9.8** stock.adobe.com (VanderWolf Images), Dublin; **9.9** Shutterstock (vandame), New York; **10.1** Dieter Mayr, München; **10.2** Dieter Mayr, München; **10.4** Dieter Mayr, München; **11.1** Dieter Mayr, München; **11.2** Dieter Mayr, München; **11.3** Dieter Mayr, München; **11.4** Dieter Mayr, München; **12.1.3, 157.1** Getty Images (alvarez), München; **12.2.4, 157.2** Getty Images (XiXinXing), München; **13.1** Shutterstock (bbernard), New York; **14/15** Getty Images (timurock), München; **14.1** Getty Images (ajr_images), München; **14.2** Shutterstock (El Nariz), New York; **14.3** Getty Images (Poike), München; **15.1-2, 78.1-2, 158.1-2** Shutterstock (james weston), New York; **15.1** Getty Images (Ridofranz), München; **15.2** Shutterstock (milatas), New York; **15.3** Shutterstock (dotshock), New York; **16.9** stock.adobe.com (ayax), Dublin; **18.1** Shutterstock (Manzetta), New York; **18.2** Shutterstock (Golubovy), New York; **18.3** Shutterstock (Syda Productions), New York; **18.4, 38.6** Getty Images (Buero Monaco), München; **18.5** Getty Images (Eugenio Marongiu), München; **18.6** 123RF.com (PaylessImages), Nidderau; **18.7** Shutterstock (AJR_photo), New York; **18.8** Shutterstock (Kinga), New York; **19.1, 38.8** Shutterstock (RazoomGame), New York; **19.2** Shutterstock (Solis Images), New York; **19.3** Shutterstock (mimagephotography), New York; **19.4** Getty Images (nyul), München; **19.5, 39.1** Thinkstock (oneblink-cj), München; **20.1.2.1** Getty Images (PeopleImages), München; **20.3** Getty Images (Dougal Waters), München; **20.4** stock.adobe.com (zhukovvvlad), Dublin; **20.5, 38.7** Shutterstock (adriaticfoto), New York; **20.5.9.10.11, 46.1, 58.8, 59.1, 66.3.4, 82.4, 90.4-5, 91.4-6, 102.1, 103.1, 110.2-5, 118.1-3, 124.4, 126.1, 129.2-5, 140.3, 141.2, 142.4.7** Shutterstock (pixelliebe), New York; **20.6** Getty Images (AlenaPaulus), München; **22.1, 39.2** Getty Images (NadejdaReid), München; **22.2** Shutterstock (wavebreakmedia), New York; **22.3** Shutterstock (Monkey Business Images Ltd), New York; **22.4** Getty Images (Michael Blann), München; **22.5** Shutterstock (Dimitris Leonidas), New York; **22.6** Shutterstock (Pakhnyushchy), New York; **22.7** Shutterstock (Perutskyi Petro), New York; **22.8** Shutterstock (yulia_lavrova), New York; **22.9** Shutterstock (Sashkin), New York; **22.10** Shutterstock (Pakhnyushchy), New York; **22.11** Getty Images (Rost-9D), München; **22.12** Shutterstock (ballykdy), New York; **22.13** Getty Images (Iaroslava Kaliuzhna), München; **22.14** Shutterstock (Marques), New York; **22.15** Shutterstock (Emilio100), New York; **22.16** Shutterstock (cloki), New York; **24.1** stock.adobe.com (sester1848), Dublin; **24.2** Shutterstock (Radu Bercan), New York; **25.1-2.4.1** Shutterstock (Lisses), New York; **25.3** Shutterstock (Miceking), New York; **25.5** Shutterstock (Vadym Nechyporenko), New York; **25.6** Shutterstock (north100), New York; **28-29** Shutterstock (koosen), New York; **28.1, 32.3, 39.4.5** Shutterstock (Joerg Huettenhoelscher), New York; **29.1, 31.2.3** Shutterstock (Gerhard Roethlinger), New York; **29.2** Shutterstock (Leonid Andronov), New York; **29.3** Shutterstock (anyaivanova), New York; **29.4** Shutterstock (Mariana Aabb), New York; **30.1** Shutterstock (Corepics VOF), New York; **30.2, 78.1** stock.adobe.com (kartoxjm), Dublin; **31.1** Shutterstock (Black creater), New York; **31.3** Shutterstock (Oxy_gen), New York; **31.4** stock.adobe.com (Starpics), Dublin; **31.5** Shutterstock (Vilnis Karklins), New York; **31.6, 39.8.6** stock.adobe.com (ksl), Dublin; **31.7.7** Shutterstock (Cecilia Melzess), New York; **31.8, 39.7.8** stock.adobe.com (sweasy), Dublin; **31.9** Shutterstock (Pensiri), New York; **31.10, 39.9.10** Shutterstock (L i G), New York; **31.11** Shutterstock (ekler), New York; **31.12** Shutterstock (SurfsUp), New York; **31.13** Shutterstock (Rvector), New York; **31.14** Shutterstock (davooda), New York; **31.15** Shutterstock (RaulAlmu), New York; **31.16** Shutterstock (IhorZigor), New York; **32.1** Shutterstock (Bikeworldtravel), New York; **32.2, 65.3.2** Shutterstock (Kryvenok Anastasiia), New York; **32.4, 39.5.4** Shutterstock (Jaggat Rashidi), New York; **32.5** stock.adobe.com (philippe Devanne), Dublin; **34.1** Tanja Dorendorf / T+T Fotografie; **34.2** Maxim Schulz, Hamburg; **34.3** Getty Images (Christian Augustin), München; **35.1** Shutterstock (Lucky Business), New York; **35.2** Shutterstock (Alexander Geiger), New York; **35.3** Shutterstock (Lina Zavgorodnia), New York; **35.4** Shutterstock (Monkey Business Images), New York; **35.5** Shutterstock (CSMaster), New York; **35.6** Shutterstock (Dizzy Photos), New York; **35.7** Shutterstock (Susanne Elsig-Lohmann), New York; **35.8** Shutterstock (Jacek Chabraszewski), New York; **36.7** Shutterstock (FooTToo), New York; **38.1.3.4, 39.7, 74.3-4, 110.3** stock.adobe.com (chrisdorney), Dublin; **38.2** stock.adobe.com (Annika Gandelheid), Dublin; **38.5** Dieter Mayr, München; **39.3** Shutterstock (canadastock), New York; **39.6** Shutterstock (fiphoto), New York; **41.1** Shutterstock (s_bukley), New York; **41.2** Shutterstock (Bjoern Deutschmann), New York; **41.3** picture-alliance (POP-EYE), Frankfurt; **41.4** © dpa; **41.5** Shutterstock (Denis Makarenko), New York; **41.6** picture alliance/Geisler-Fotopress; **41.7** Shutterstock (Neale Cousland), New York; **41.8** picture-alliance (Geisler-Fotopress), Frankfurt; **42.1** Shutterstock (e X p o s e), New York; **42.2** Shutterstock (TTstudio), New York; **42.3** Shutterstock (xbrchx), New York; **43.1** Shutterstock (Val Thoermer), New York; **43.2** Shutterstock (r.classen), New York; **43.3** Shutterstock (Basov Mikhail), New York; **44.2** Dieter Mayr, München; **44.3** Shutterstock (aerogondo2), New York; **44.4** Shutterstock (Baloncici), New York; **44.5** Shutterstock (ESB Professional), New York; **44.6** Shutterstock (Nitikorn Poonsiri), New York; **45.1** Dieter Mayr (Dieter Mayr), München; **45.2** Dieter Mayr (Dieter Mayr), München; **46.2** Dieter Mayr, München; **46.3** Dieter Mayr (Dieter Mayr), München; **48.1** Dieter Mayr (Dieter Mayr), München; **48.2** Dieter Mayr (Dieter Mayr), München; **48.3** Dieter Mayr (Dieter Mayr), München; **49.1** Getty Images (vitranc), München; **49.2** Shutterstock (Ebtikar), New York; **49.3** Shutterstock (MinDof), New York; **51.1** © Heinz Rothas/Restaurant Esszimmer, Konstanz; **51.2** Shutterstock (Dmitry Kalinovsky), New York; **51.3** Getty Images (karp5), München; **54.1** Dieter Mayr, München; **54.2** Dieter Mayr, München; **55.2** Dieter Mayr, München; **55.3** Dieter Mayr, München; **55.4** Dieter Mayr, München; **55.5** Dieter Mayr, München; aufgenommen mit freundlicher Unterstützung der Münchner Stadtbibliothek; **56.1-9.2** Getty Images (mustafahacalaki), München; **57.1-4, 58.1** Dieter Mayr, München; **57.1** Shutterstock (Marek R. Swadzba), New York; **57.2** Shutterstock (fotosv), New York; **57.3** Shutterstock (Akugasahagy), New York; **57.4** Shutterstock (Yanas), New York; **57.5** Shutterstock (Nataliia K), New York; **57.6** Shutterstock (AlenKadr), New York; **57.8** Shutterstock (CapturePB), New York; **58.2** Dieter Mayr, München; **58.3** Dieter Mayr, München; **58.4** Dieter Mayr, München; **58.5** Dieter Mayr, München; **58.6** Dieter Mayr, München; **58.7** stock.adobe.com (karpenko_ilia), Dublin; **64.1** Shutterstock (ESB Basic), New York; **64.2** Shutterstock (kaprik), New York; **64.3** Shutterstock (robcocquyt), New York; **64.4** Shutterstock (Branislav Nenin), New York; **64.5** Shutterstock (sezer66), New York; **64.6** Shutterstock (Galyna Andrushko), New York; **65.1** Shutterstock (Maria Averburg), New York; **65.1** Getty Images (marcociannarel), München; **65.4** Shutterstock (kurhan), New York; **65.5** Shutterstock (Constantin Iosif), New York; **65.6** Shutterstock (gorillaimages), New York; **66.1** Shutterstock (shakishan), New York; **66.2** Shutterstock (wavebreakmedia), New York; **68.3** Shutterstock (Alexander Chaikin), New York; **69.1** Shutterstock (Igrapop), New York; **70.1** Shutterstock (Radiokafka), New York; **70.2** Shutterstock (place-to-be), New York; **70.3** Shutterstock (Lightix), New York; **70.4** Getty Images (franckreporter), München; **71.1** © dpa; **71.2** Shutterstock (eliyev), New York; **71.3** @ANNAKRAM e. V., Grafik: Andreas Jäckel; **71.4** stock.adobe.com (pixelliebe), Dublin; **74.1-2** Shutterstock (Perutskyi Petro), New York; **76.1** Shutterstock (Sergio Monti Photography), New York; **76.2** Shutterstock (kyrien), New York; **76.3** Shutterstock (Ugis Riba), New York; **76.4-9, 77.2-3** Shutterstock (dikobraziy), New York; **76.10** Shutterstock (1eyeshut), New York; **76.11** stock.adobe.com (Kerstin), Dublin; **76.12** Shutterstock (Christin Klose), New York; **77.1** Shutterstock (U.J. Alexander), New York; **77.2** stock.adobe.com (oksix), Dublin; **77.3** Shutterstock (Syda Productions), New York; **77.4** Shutterstock (saiko3p), New York; **77.4** Dieter Mayr, München; **77.5** Dieter Mayr (Helen Schmitz), München; **77.5** Shutterstock (And-One), New York; **77.6** Shutterstock (Oleg Mikhaylov), New York; **77.6** Shutterstock (mato), New York; **77.7** Shutterstock (Andreas Jung), New York; **77.8** Shutterstock (seasoning_17), New York; **77.9** Shutterstock (Chatchai Kritsetsakul), New York; **78.1** Shutterstock (Shebeko), New York; **78.2** stock.adobe.com (kath81), Dublin; **78.3** Shutterstock (Karl Allgaeuer), New York; **78.4** Shutterstock (petratrollgrafik), New York; **78.5** stock.adobe.com (Inga Nielsen), Dublin; **78.6** Shutterstock (hlphoto), New York; **78.8** stock.adobe.com (M.studio), Dublin; **78.9** stock.adobe.com (Sławomir Fajer), Dublin; **79.1** Shutterstock (wavebreakmedia), New York; **79.2** Bigstock (different_nata), New York, NY; **79.3** Shutterstock (goodluz), New York; **79.4** Shutterstock (Nadino), New York; **80.2** Dieter Mayr, München; **81.1** Dieter Mayr, München; **81.2** Dieter Mayr, München; **81.3** Dieter Mayr, München; **82.1** Dieter Mayr, München; **82.2** Dieter Mayr, München; **82.3** Dieter Mayr, München; **88.2** Shutterstock (aleks333), New York; **88.4** Shutterstock (Lemusique), New York; **88.5** Shutterstock (Capricorn Studio), New York; **88.7** Shutterstock (View Apart), New York; **90.2** Dieter Mayr, München; **90.3** Dieter Mayr, München; **91.1** Dieter Mayr, München; **91.2** Dieter Mayr, München; **91.3** Dieter Mayr, München; **91.7** Shutterstock (ESB Professional), New York; **91.8** Shutterstock (mimagephotography), New York; **91.9** Shutterstock (goodluz), New York; **93.1** Shutterstock (Dean Drobot), New York; **93.2** stock.adobe.com (lotosfoto), Dublin; **93.3** Shutterstock (Denys Kurbatov), New York; **94.1** Dieter Mayr, München; **94.2** Dieter Mayr, München; **94.3** Dieter Mayr, München; **96.1** Shutterstock (Pressmaster), New York; **96.2** Shutterstock (amenic181), New York; **96.3** stock.adobe.com (El Gaucho), Dublin; **96.4** Shutterstock (Cesarz), New York; **96.5** Shutterstock (domnitsky), New York; **96.6** stock.adobe.com (unpict), Dublin; **97.1** Getty Images (shapecharge), München; **97.2** Shutterstock (Nestor Rizhniak), New York; **97.3** stock.adobe.com (benjaminnolte), Dublin; **97.4** Getty Images (FatCamera), München; **98.1** Shutterstock (Hans.P), New York; **98.2** stock.adobe.com (Elenathewise), Dublin; **98.3** Shutterstock (Maks Narodenko), New York; **98.4** stock.adobe.com (amenic181), Dublin; **98.5** stock.adobe.com (ArTo), Dublin; **98.6** Shutterstock (Dmitry Bakulov), New York; **98.7** stock.adobe.com (vvoe), Dublin; **98.8** Shutterstock (Marine';s), New York; **98.9** Shutterstock (Andrey_Kuzmin), New York; **100.1** stock.adobe.com (sonjanovak), Dublin; **100.2, 105.9, 111.6** Getty Images (bonetta), München; **100.3** Shutterstock (Bellie Design), New York; **100.4** stock.adobe.com (vadarshop), Dublin; **100.5, 110.10** Shutterstock (sergo1972), New York; **100.6** Shutterstock (Elnur), New York; **100.7** Shutterstock (kibri_ho), New York; **100.8** Shutterstock (kibri_ho), New York; **101.1, 111.4.1** Shutterstock (Pix11), New York; **101.2, 113.3.5** Shutterstock (Luisa Leal Photography), New York; **101.3** Shutterstock (Jambals), New York; **101.4, 110.9, 113.6.2** Shutterstock (Bamidor), New York; **101.5, 113.5.6** stock.adobe.com (Piotr Pawinski), Dublin; **101.6, 111.5, 113.1.4** stock.adobe.com (shutswis), Dublin; **101.7** Shutterstock (Artbox), New York; **101.8** Shutterstock (Africa Studio), New York; **101.9, 110.5** stock.adobe.com (Andrey Bandurenko), Dublin; **102.2** Shutterstock (Nata-Art), New York; **102.3** Shutterstock (Paladin12), New York; **105.1** Shutterstock (kongsky), New York; **105.2** stock.adobe.com (francois clappe), Dublin; **105.3, 111.8.2** stock.adobe.com (by-studio), Dublin; **105.4** Shutterstock (Zovteva), New York; **105.5, 113.2.5** Shutterstock (Suradech Prapairat), New York; **105.6** Shutterstock (medvedsky.kz), New York; **105.7** Shutterstock (Bejim), New York; **105.8** Shutterstock (Tutti Frutti), New York; **105.10, 113.4.10** Shutterstock (nexus 7), New York; **106.2, 111.1.2** Shutterstock (Ralf Gosch), New York; **106.3, 111.2.3** Shutterstock (elxeneize), New York; **106.4, 111.3.4** Shutterstock (Ralf Gosch), New York; **106.5** Shutterstock (DesignVis), New York; **107.1** Shutterstock (AJR_photo), New York; **107.2** Shutterstock (ESB Professional), New York; **107.3** Shutterstock (Arina P Habich), New York; **108.1** stock.adobe.com (WavebreakMediaMicro), Dublin; **108.2** stock.adobe.com (Rawpixel.com), Dublin; **108.3** Shutterstock (Monkey Business Images), New York; **108.4** Shutterstock (bbernard), New York; **108.5** Shutterstock (Prostock-studio), New York; **110.2** Shutterstock (Jiri Vaclavek), New York; **110.2** Shutterstock (Perutskyi Petro), New York; **110.4** Shutterstock (Gilang Prihardono), New York; **110.7, 131.7** Shutterstock (Plisman), New York; **111.7** Shutterstock (Milan M), New York; **112.1** Shutterstock (siam.pukkato), New York; **112.2** Shutterstock (Jo Panuwat D), New York; **112.3** Shutterstock (Lucky Business), New York; **112.4** Shutterstock (TierneyMJ), New York; **112.5** Shutterstock (Rawpixel.com), New York; **112.6** Shutterstock (Susan Schmitz), New York; **112.6** Shutterstock (connel), New York; **114.1** Shirin Kasraeian; Liedtext aus dem Format „das Bandtagebuch mit EINSHOCH6: Like, like" © Deutsche Welle; **115.1** Shutterstock (wavebreakmedia), New York; **115.2** Shutterstock (Pressmaster), New York; **115.3** Shutterstock (DGLimages), New York; **115.4** Shutterstock (Photographee.eu), New York; **116.1** stock.adobe.com (sergiy1975), Dublin; **116.2** Shutterstock (Irina Polonina), New York; **117.1** Getty Images (Hinterhaus Productions), München; **117.3** Shutterstock (Wavebreakmedia), New York; **120.1** Getty Images (shapecharge), München; **120.2** Getty Images (NADOFOTOS), München; **120.3** Getty Images (Minerva Studio), München; **120.4** Getty Images (Jacob Wackerhausen), München; **123.1** Shutterstock (Alexander Erdbeer), New York; **123.3** Shutterstock (RockerStocker), New York; **123.4** Shutterstock (FooTToo), New York; **123.4** stock.adobe.com (Kzenon), Dublin; **123.5** Shutterstock (Lapa Smile), New York; **123.6** Shutterstock (Kozlik), New York; **128.1** Shutterstock (mimagephotography), New York; **128.2** Shutterstock (Ollyy), New York; **128.3** Shutterstock (TIvanova), New York; **128.4** Shutterstock (photobyphotoboy), New York; **128.5** Shutterstock (Elena Dijour), New York; **130.1** Shutterstock (Pavel L Photo and Video), New York; **132/133.1** stock.adobe.com (dikobrazik), Dublin; **132.2** Trippen A. Spieth, M. Oehler GmbH (Photo: Evelyn Bencicova; Set Design: Jakub Kubica), Berlin; **132.3** ©tausche.de; **132.4** © Darius Wientzek/ausberlin; **133.1** Shutterstock (Karolis Kavolelis), New York; **133.2** www.erfinderladen.com; **134.3** Shutterstock (Nobelus), New York; **136.1** Getty Images (querbeet), München; **137.1** Shutterstock (Dmytro Vietrov), New York; **137.2** stock.adobe.com (Jenny Sturm), Dublin; **138.1** Restaurant Löwenzorn Basel | Fine to Dine; **138.2** Vitra Design Museum, Frank Gehry 1989 © Vitra Design Museum, Foto: Thomas Dix; **138.3** Shutterstock (Leonid Andronov), New York; **138.4** Shutterstock (S-F), New York; **138.5** stock.adobe.com (blende11.photo), Dublin; **139.1** Shutterstock (Vector Icon Flat), New York; **140.1** Shutterstock (FooTToo), New York; **140.2** Shutterstock (mitchFOTO), New York; **141.1** Shutterstock (Tatiana Popova), New York; **142.9-18** Shutterstock (Colorlife), New York; **142.1** Shutterstock (WladD), New York; **142.2** Shutterstock (S-F), New York; **142.5** Shutterstock (NotionPic), New York; **142.6** Shutterstock (A G Baxter), New York; **142.8** Shutterstock (Sean Pavone), New York; **143.1** Shutterstock (BlueOrange Studio), New York; **143.2** Shutterstock (Matej Kastelic), New York; **143.3** Shutterstock (Pond Thananat), New York; **144.1** stock.adobe.com (Mikhail Markovskiy), Dublin; **144.2** stock.adobe.com (Joe.Gockel), Dublin; **146.1** Shutterstock (frantic00), New York; **147.1** Shutterstock (Iakov Filimonov), New York; **147.2** Shutterstock (Svitlana Sokolova), New York; **147.3** Shutterstock (CandyBox Images), New York; **148.1** Shutterstock (Iakov Filimonov), New York; **149.1** Shutterstock (Stokkete), New York; **151.1** Shutterstock (Maximumvector), New York

Audios
Aufnahme und Postproduktion: Andreas Nesic, Stuttgart
Sprecherinnen und Sprecher: Ulrike Arnold, Irene Baumann, Alexander Brehm, Jonas Bolle, Chantal Busse, Julia Cortis, Philipp Falser, Niklas Graf, Sabine Harwardt, Anuschka Herbst, Kathrin Höhne, Vanessa Jeker, Simon Kubat, Detlef Kügow, Johannes Lange, Susannah Lawford, Stephan Moos, Charlotte Mörtl, Stefanie Plisch de Vega, Mario Pitz, Sarah Ravizza, Verena Rendtorff, Jakob Riedl, Helge Sturmfels, Elisa Taggert, Benedikt Weber, Sabine Wenkums, Magali Armengaud, Patrick Fromme, Johannes Kehrer, Susanne Schauf, Käthi Staufer-Zahner

Track 2.37: aus dem Format „das Bandtagebuch mit EINSHOCH6: Like, like" © Deutsche Welle

Videos und Redemittel-Clips
Kamera: Martin Noweck, München
Ton: Sebastian Simon, München
Produktionsleitung: Jenny Scherling, München
Regie und Trickzeichnungen: Theo Scherling, München
Produktion: Bild & Ton, München
Postproduktion: Thomas Simantke
Darstellerinnen und Darsteller: Marco Wunderlich, Lena Kluger, Johannes Nagl, Mona Licht; Christina Hommel, Agnes Rosch, Jenny Roth
Musik: Feels Like Falling, Let's Go: Universal Production Music, Gordon De Menthon White

Wir danken allen, die uns bei der Realisierung des Projekts unterstützt haben:
Café Borstei, Maike Günther
Jugend des Deutschen Alpenvereins (JDAV)

Phonetik-Clips
Drehbuch und Umsetzung: Ulrike Trebesius-Bensch, Halle/Saale
Produktion: Sebastian Berres, Köln

Grammatik-Clips
Drehbuch: Sabine Harwardt und Annette Kretschmer
Produktion: media & more, Reutlingen
Geschäftsführer: Alexander Karl Müller
Aufnahmeleitung: Sigrid Kulik

Lösungen zu Plattform 4, Aufgabe 6
1B, 2A, 3. A2, B3, C1, 4C, 5. A CH, B A, C D, 6B, 7C, 8A, 9A, 10C, 11B, 12C